P9-CDF-816

Издательство «Аврора» . Ленинград

Возрожденные из пепла

Петродворец
Пушкин
Павловск

Я ознакомился подробно с состоянием памятников Петергофа, Царского Села и Павловска, причем во всех этих трех городах я видел следы чудовищного покушения на целостность этих памятников. При этом повреждения, которые я видел и перечислить которые очень трудно, потому что их очень много,— все эти повреждения носят следы предумышленности.

Показания свидетеля И. Орбели
Из стенограммы заседания Международного
военного трибунала от 22 февраля 1946

Возрожденный из пепла

ПЕТРОДВОРЕЦ

Возрожденный из пепла

ПУШКИН

Возрожденный из пепла

ПАВЛОВСК

Вступительное слово Д. А. ГРАНИНА

Авторы разделов:

Петродворец — И. М. ГУРЕВИЧ

Пушкин — Г. Д. ХОДАСЕВИЧ

Павловск — В. А. БЕЛАНИНА

Оформление и макет Д. А. БЮРГАНОВСКОГО

Редактор Е. Н. КУЛАГИНА

Printed and bound in the USSR

В $\frac{4902020000-893}{023(01)-90}$ 4-90

ISBN 5-7300-0194-0

В тот первый год войны все было неистовым: лето — яростно-знойным, зима — смертельно-лютой. Но до зимы было еще далеко. Пока что осень размахнулась ярко и поспешно. Уже в сентябре пушкинские парки охватило буйство огненных красок — сурик, охра, багрянец. Целые аллеи пламенели, отражаясь в прудах. Пушкин был еще цел. Но война уже вступила в него, в самую его сердцевину. Горел Китайский театр, горели деревянные особняки. Наш полк отступил от Александровки и закрепился перед Екатерининским дворцом. В Баболовском и Александровском парках к вечеру шестнадцатого сентября стали раздаваться очереди немецких автоматчиков. Короткий сухой треск вспыхивал то там, то тут. В сумерках автоматчики ничего не могли видеть, они просто пугали; мы уже изучили эту нахальную повадку, она не действовала. По дворцу били артиллерия, минометы. Штаб полка разместился внизу, под колоннадой Камероновой галереи. Я вернулся из второй роты, что закопалась перед прудами. Там же в засаде стояло два танка КВ. Откуда они взялись, не знаю, но танкисты поддержали нас, и мы могли, прикрытые их огнем, перетащить раненых во дворец. Раненых было много, последние два дня бой утихал лишь к ночи. Я прикорнул где-то на топчане, и почти сразу же дежурный растолкал меня. Домогается, мол, меня какой-то гражданский. А надо пояснить, что полк наш был из ополченцев. Это была Кировская дивизия народного ополчения, собранная из добровольцев Кировского завода и других заводов и фабрик Нарвской заставы. Мы воевали с июля месяца, и чисто армейские, уставные порядки у нас еще не установились. Кадровых офицеров было мало, командовали свои, кто хоть какой-то опыт имел, а то и вовсе без опыта. Так получилось, что в те отчаянные дни и я очутился на положении командира. Гражданский тот человек требовал начальника по делу сверхсрочному, наиважнейшему, вот дежурный и будил меня.

Протирая глаза, я вышел в соседнюю комнату. Там стоял старик в драном синем халате. Седые длинные его волосы прикрывала соломенная шляпа. Был он небритый, пыльный, красные глаза его слезились. Он сразу рванулся ко мне, заикаясь, простуженно хрипя, слова наскакивали одно на другое, сминая окончания. С трудом я понял, что он смотритель или хранитель дворца, не всего дворца, а его ближней части и галереи, и он требует, чтобы запретили бойцам ходить по залам дворца, портить паркеты, в крайнем случае, пусть соблюдают правило — надевают войлочные тапки. Никто, оказывается, не обращал внимания на его запреты, кто-то из командиров обругал его, кто-то высмеял. Видно, они довели его до ярости, он весь клокотал. А может, он того, сдвинулся? Невесть откуда появившаяся эта фигура, безумное его требование, все было как во сне. Я пришел в себя, когда он уже тащил меня через переходы, лестнички... Мы пересекли большие залы, где полы были засыпаны песком, застланы брезентом, куда-то свернули и очутились в пустой, уходящей вдаль анфиладе комнат, освещенной розовыми лучами догорающей зари. Все сверкало, отражалось в зеркалах, хрустальных подвесках. Комнаты были пусты. Кое-где у стен стояли кресла, прикрытые чехлами, а были и неприкрытые, пустые тумбы, подставки. На стенах, затянутых шелковым штофом, виднелись следы снятых картин. На камине перед зеркалом в золоченой раме стояли бронзовые фигурные подсвечники, в углах — вазы, скульптура... Пустота или опустелость создавала ощущение простора, ничто не мешало видеть красоту изразцовых печей, резных медальонов, лепнины. Позолота пылала, часть окон была зашита досками, зато через другие открывался парк и нежно-алые краски неба. Никогда я не видел ничего красивее вереницы этих дворцовых залов, где ничто не отвлекало взгляда — ни мебель, ни люди, ни картины, а была только даль уходящих комнат, тяжелые темно-красные, белые с золотом двери...

Я стоял, приходя в себя, не думая ни о чем, весь захваченный врасплох этой красотой. Я даже не слышал, что мне кричал хранитель. Но он дергал меня и показывал на паркет. Блеск узорчатых паркетов прерывался затоптанной грязной дорожкой. Наши солдатские сапоги, подкованные железками, извозили, исцарапали, покорежили эти драгоценные наборы. Бойцы шли до лестницы, спускались на первый этаж, где разместились раненые, и дальше вниз, на кухню. Почему-то им было удобнее ходить через эту часть дворца, может потому, что тут не простреливалось, а может, еще почему, но солдаты зря ходить не станут, и сейчас они тащили на веревке какой-то ящик по паркету, он скрежетал...

Смотритель или хранитель набросился на них, но они и глазом не повели в его сторону, тогда он кинулся ко мне.

— Да вы понимаете, что немцы уже в Екатерининском парке? — сказал я.

Он замахал руками, закричал.

— Это ваше дело, вы отвечаете. А я должен сохранять. Я отвечаю. Прекратите это безобразие! Я не могу видеть!

— Для кого сохранить хотите? — спросил рядовой Иголкин, который пошел вместе со мной.— Для фрицев?

— Глупости вы говорите... Фрицы...— он остановился, глаза его расширились, словно бы раскрылись, словно бы он вдруг увидел солдат, меня, услыхал автоматные очереди.

— Фрицы,— повторил он.— Господи!.. Но они не посмеют, если увидят.

Иголкин расхохотался.

— Эх, ты...

— Слушай, Иголкин,— сказал я,— постелите вы тут доски, жалко ведь.

Иголкин укоризненно покачал на меня головой.

События тех дней остались вот такими разорванными картинками, эпизодами без начала и конца.

Камеронова галерея. Колоннада. Пули уже долетали сюда, чиркали по камню, по бюстам римских императоров. Отсюда было далеко видно — склон к озеру, и Грот, и Чесменскую колонну, и какие-то красного кирпича постройки, где уже сидели немцы. Мы, прячась за колоннаду, переползали с ручным пулеметом и отсюда постреливали в сторону пруда.

Уходили мы из Пушкина на рассвете. Парк спал, и город спал. Раненых вывезли ночью. Мы шли мимо Лицея, вдоль решеток, улицы были пустынны. На круглой тумбе висела киноафиша: «Завтра, 17 сентября, „Антон Иванович сердится"». Я шел в конце колонны, нагруженный автоматом и дисками ручного пулемета, и вспоминал про смотрителя в синем халате. Может, надо было его взять с собой? На это Иголкин заметил, что бешеный этот старик не пошел бы, оторвать его отсюда невозможно. «Досочки-то мы настелили,— ядовито добавил Иголкин — для фрицев».

В ту осень и зиму мы держали оборону у поселка Шушары. Через поле раскинулся перед нами Пушкин, его парки, был виден дворец. Всю блокадную зиму он маячил перед нами. Глядя на него, я вспоминал как волшебное видение анфиладу дворцовых залов, великолепие покоев в розовых отблесках закатного солнца. Волшебное это видение мучило меня невысказанным упреком. Случай со смотрителем перестал казаться таким нелепым. Что-то в этом было достойное уважения, но лишь много позже я стал по-настоящему понимать этих людей.

В бинокль было видно, как дворец чернел, разрушался. Мы знали, что он занят немцами,— они укрывались во дворце от нашей артиллерии. В морозные дни оттуда из труб шел дым — видимо, топили печи. И наши полковые пушки время от времени, не выдержав, лупили туда прямой наводкой. Однажды во дворце случился пожар. Мы смотрели, как поднимался в морозном воздухе черный, копотный столб дыма.

Не знаю, как было под Петергофом, Ораниенбаумом, я знаю лишь, что пушкинские дворцы мешали нам воевать. В том смысле, что мучительно было палить по ним, мучительно, несмотря на все ожесточение ленинградской блокады, на ненависть, накопленную за эти страшные девятьсот дней голода, смертей, бомбежек. Сердце разрывалось, когда приходилось стрелять в сторону пушкинских парков, дворцов...

В январе 1944 года я услышал по радио, что наши войска освободили Пушкин. Я воевал уже на другом фронте и в Пушкин попал лишь спустя полтора года после войны. Парк был вырублен, изувечен воронками — где засыпанными, а где — зарастающими травой. Дворец стоял выгорелый, разбитый, уже ничего не дымилось, но внутри руин неистребимо пахло гарью. Прогорклый запах разрухи, здесь он ощущался особенно грустно, как запах смерти, тлена. Торчали остовы павильонов, фундаменты, постаменты. Где-то на обломках стены, сверху, вдруг, среди обнаженного закоптелого кирпича глянет золотая головка или ветвь виноградной лозы, и это было самое горькое. Ленинградцы бродили меж развалин, вспоминая былую прелесть этих мест. Ехали в Петродворец к фонтанам — там творилось то же самое: руины, останки, груды щебня, мертвые фонтаны, неузнаваемые скелеты дворцов. То же — в Гатчине и в Павловске. От прежнего великолепия не осталось ничего. Все было разрушено, разграблено, вывезено, сожжено, все выглядело непоправимо.

Ленинград тоже был тяжко изувечен непрерывными бомбежками, пожарами, обстрелами. Великий город хотя и не допустил врага, отстоял себя, но блокада нанесла ему огромный урон. И однако же всем горожанам — и тем, кто выжил, и тем, кто возвращался из эвакуации,— ужасное состояние Пушкина, Павловска, Петродворца причиняло боль особо глубокую. Город можно восстановить — это все понимали, ожерелье же дворцовых пригородов было утрачено навсегда — это тоже все понимали. Чувство этой непоправимости стало, наверное, наигоршим из всех послевоенных потерь.

Но уже тогда, в тот первый, а потом и в следующие наезды в Пушкин, я заметил, что развалины Большого дворца огорожены и там кто-то работает, то есть что значит работает — люди бродили в том пространстве, ползали, рылись, искали, подбирали обломки, осколки, крылышки, руки, головы, куски багета, мрамора, стекла. Уцелевшие атланты безнадежно взирали на них с простенков дворца. Никто не верил, что можно что-либо восстановить. Во всяком случае, на нашем веку. Пока что на ближайшие десять — двадцать лет предстояло отстраивать Ленинград. Люди теснились в переполненных коммунальных квартирах. Почти все деревянные дома пожгли в блокаду на дрова, другие сгорели от зажигалок. Люди возвращались из эвакуации, им негде было жить... Надо было налаживать разрушенные предприятия. Я работал в те годы в Ленэнерго. Кабельная сеть города была разрушена, подстанции разбиты. Мы не могли обеспечить мощностями школы, больницы, институты. Нет, и думать нельзя было, и мечтать о восстановлении дворцовых ансамблей, петергофских фонтанов...

Принятое еще в конце войны постановление Совнаркома СССР о восстановлении Петродворца, Пушкина и Павловска было встречено с радостью и недоумением. Откровенно говоря, мы считали это, скорее, политическим актом, чем реальным делом. Не до того было. Но люди в ватниках, синих халатах продолжали рыться, работать среди развалин. Потом начались субботники. В парки выезжали ленинградцы, помогали расчищать завалы. Из укрытий, из ям извлекались припрятанные статуи, памятники. Заделывали пробоины дворцовых стен, возводили кровлю. Так исподволь, без лишнего шума начиналась великая, воистину беспримерная эпопея Восстановления.

Если бы только Восстановления, но надо было воссоздавать, ибо что-то было истреблено, что-то утрачено. Следовало постигнуть секреты мастеров XVIII века, перенять их манеру, стиль, проникнуться их видением. Для многих архитекторов, художников, реставраторов это требовало самоотречения, кропотливой работы перевоплощения. Надо было стать вровень с лучшими искусниками керамики, резьбы, лепки, чеканки, живописи России, Италии, Франции прошлых веков, вплоть до китайских мастеров ткани.

Были неверящие, были и те, кто считал эту работу расточительством — ведь в том же послевоенном Пушкине люди жили не то чтобы бедно — жили в бараках, сырых подвалах, не имели элементарных удобств. Как же можно было столько сил и средств тратить на эту роскошь?!

Конечно, правота этих доводов неоспорима. То же самое я слышал в послевоенной Варшаве, когда там началось восстановление старого города. Такое же неверие, те же протесты. И все же патриотизм поляков победил. И у нас ленинградское, питерское чувство любви к своему городу побеждало. Восстановление пригородов — подвиг не только реставраторов, но и всех ленинградцев. После мучений блокады, войны они шли на то, чтобы в ущерб строительству жилых домов возрождать эти дворцовые сооружения, вместо насущного возвращать Красоту.

С великим трудом страна выкраивала драгоценные материалы для этих накладистых строек. История оправдала нелегкое решение, принятое в те дни. Восстановление дворцовых пригородов нельзя было откладывать — любая отсрочка увеличивала потери, делала их невосполнимыми.

Летопись восстановительных работ сама по себе драматична и поразительна. С первых дней освобождения Пушкина, Павловска, Петергофа в январе 1944 года они длились вплоть до восьмидесятых годов. Они продолжаются и поныне. Но то, что сделано,— это, конечно, чудо возрождения. Так же, как невозможно было представить среди развалин Пушкина, что когда-либо удастся вернуть людям то, что здесь было, точно так же сегодня уже немыслимо представить, что все это великолепие возродилось из обломков, черепков, собранных со старанием археологов, из обгоревших остовов, из упрятанного, закопанного и возвращенного.

Еще предстоят восстановительные работы в Гатчине. Но то, что сделано, всегда будет вызывать удивление. Жаль, что история этих работ не написана в увлекательных подробностях, где были бы поиски рисунков, неудачи, находки, история восстановления какого-нибудь плафона, сомнения художников, чувство беспомощности перед тайной старых мастеров и чувство победы...

Закатное солнце слепит окна Екатерининского дворца. На Камероновой галерее не найти уже следов пуль. Парк, пруд, Чесменская колонна... Что сталось с ним, с тем трогательным чудаком-смотрителем в синем халате? Уцелел ли он? Дожил ли до восстановления? Но разве он был чудаком? Так ли нелепы и смешны были его требования в те гибельные дни осени 1941 года?

Сокровенный смысл его порыва только теперь я начал понимать. Может, именно такая беззаветность помогла возродить из крошева развалин красоту ленинградских пригородов.

Что другое, кроме сил любви и преданности своей стране, могло бы одолеть ужас войны и смерти.

Даниил Гранин

Воскресный полдень 22 июня 1941.
Ленинградцы слушают
правительственное сообщение
о нападении гитлеровской Германии
на Советский Союз. Фотография

На строительство укреплений Ленинград. 1941, осень

Павловск. Вскрытое захоронение скульптуры в подвале Большого дворца. 1944

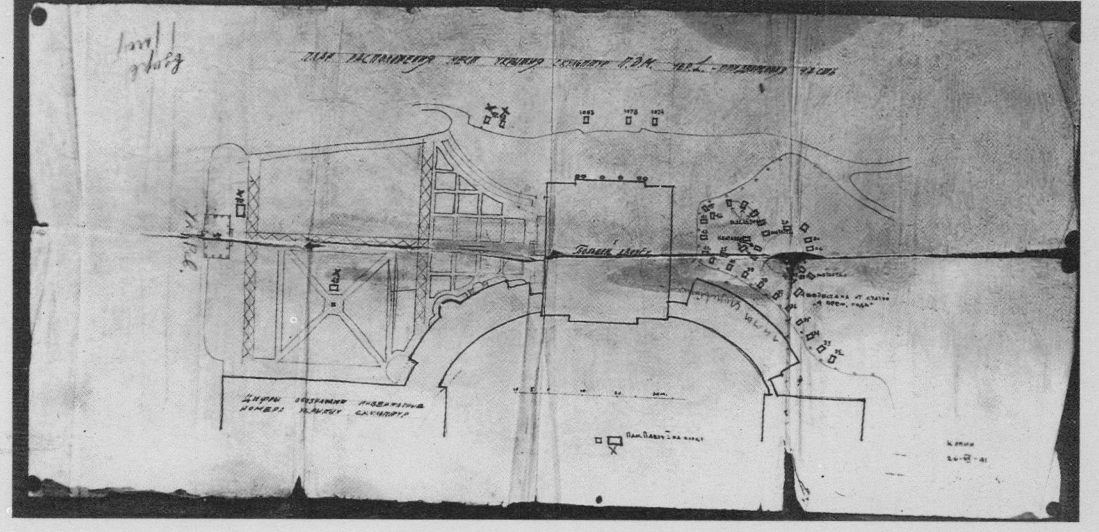

План захоронения скульптуры Павловского парка. Выполнен 26 июля 1941

...В парке уже поранило бомбежкой многие деревья. Это же грозило и парковой скульптуре. Мы знали, что ей цены нет, но эвакуировать такое количество статуй было невозможно. Решили закрыть их здесь же, в парке.
Места для захоронения выбрали на газонах. Первыми ушли в землю бронзовые статуи с Двенадцати дорожек — района Старой Сильвии — девять муз, окружавших Аполлона, Меркурий, богини Флора и Венера Каллипига. Легли в землю все дети рыдающей Ниобеи. У дворца в Больших кругах сняли с пьедестала статуи Правосудия и Мира. На белом мраморе кто-то из рабочих успел написать: «Мы вернемся и найдем тебя!»
Вскоре места захоронений заросли травой, а ранний листопад еще надежнее укрыл наши тайники.

Из воспоминаний директора
Павловского дворца-музея
А. Зеленовой

17 сентября 1941.
Немецко-фашистские оккупанты проводят регистрацию не успевшего эвакуироваться населения Павловска на площади перед дворцом. 15 тысяч человек были интернированы и отправлены в Германию
Фотография из гитлеровских архивов

Коллекция фарфора и живописи из собраний Екатерининского и Александровского дворцов в городе Пушкине, приготовленные к отправке в Германию
Фотография из гитлеровских архивов

Собрание библиотеки Екатерининского дворца в городе Пушкине, приготовленное к отправке в Германию
Фотография из гитлеровских архивов

В начале сентября, когда враг перерезал железнодорожное сообщение Ленинграда со страной, в подвалах и под сводами Исаакиевского собора было сосредоточено все, что удалось вывезти из пригородных музеев накануне их оккупации фашистскими войсками. Для многих сотрудников пригородных музеев Исаакиевский собор стал родным домом на долгие военные годы. Здесь они жили, работали — читали лекции, участвовали в организации выставок, дежурили. Это были люди, не покинувшие родной город в дни тяжких испытаний, люди, сумевшие пренебречь личными удобствами ради любимого дела.

После первой блокадной зимы, весной 1942 года, стало очевидным, что мощные стены Исаакиевского собора, хорошо оберегавшие ценности от артиллерийских обстрелов и бомбардировок, не могли спасти их от губительной сырости. В Исаакиевском соборе были оставлены скульптура, фарфор, бронза, изделия из камня. Ткани перевезли в здание Академии художеств, а Эрмитаж принял произведения живописи, которым незамедлительно была оказана реставрационная помощь.

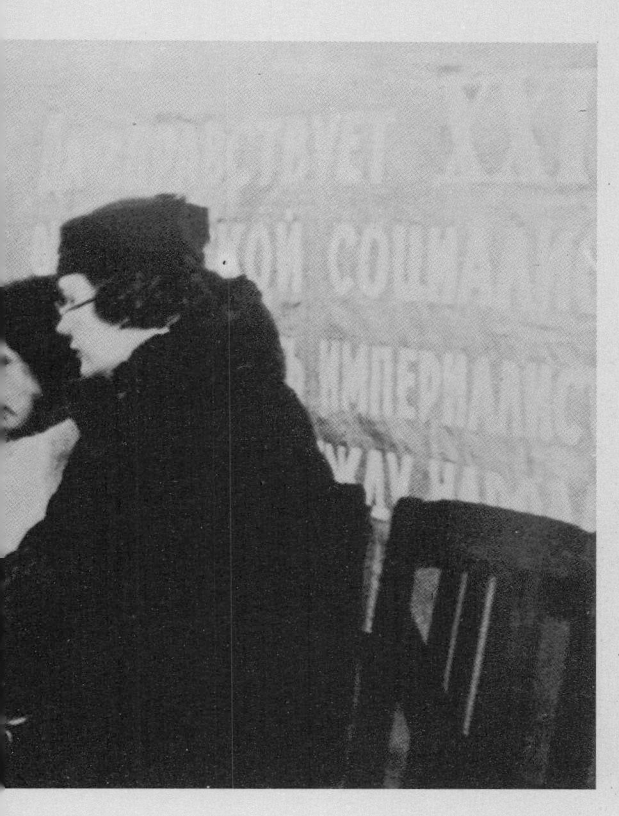

Торжественное собрание сотрудников Исаакиевского собора, Музея истории Ленинграда и пригородных дворцов-музеев в честь XXIV годовщины Великой Октябрьской социалистической революции проходило в подвале Исаакиевского собора. 1941, ноябрь

Ленинград
Дворцовая набережная
Главный подъезд Эрмитажа
Фотография военных лет

Ленинград
Исаакиевский собор. 1942

Здание Новосибирского театра оперы и балета. 1950-е

Здание Историко-краеведческого музея в Сарапуле. 1950-е

Хранилище музейных фондов пригородных дворцов Ленинграда в здании Историко-краеведческого музея в Сарапуле Фотография военных лет

Отправленные двумя первыми эшелонами в город Горький в июле 1941 года уникальные музейные коллекции дворцово-парковых ансамблей ленинградских пригородов уже в ноябре переместились дальше, в Сибирь: осень 1941 года оказалась очень беспокойной для города Горького — он постоянно подвергался вражеским бомбардировкам.

Здание огромного театра оперы и балета в Новосибирске стало стационарной базой-хранилищем для пятнадцати музеев страны. Еще одним хранилищем художественных ценностей Гатчины, Павловска, Пушкина, Петергофа и Ораниенбаума был в годы войны Историко-краеведческий музей в Сарапуле (Удмуртская АССР). Мужество ленинградцев в полной мере разделяли люди, хранившие и оберегавшие сокровища музейных дворцов вдали от родного города, люди, отвечавшие за доверенные им творения искусства перед Ленинградом, перед Родиной, перед человечеством.

Советские воины на парадной площади перед Екатерининским дворцом в городе Пушкине. 1944, январь

Советский автоматчик сбивает немецкий указатель дороги юго-западнее Петергофа. 1944, 17 января

900-дневная фашистская блокада Ленинграда снята! 27 января 1944 года над городом-победителем прогрохотали двадцать четыре залпа артиллерийского салюта

«Правда», 1944, 3 сентября
Сообщение Чрезвычайной государственной комиссии по установлению и расследованию злодеяний немецко-фашистских захватчиков и их сообщников «О разрушениях памятников искусства и архитектуры в городах Петродворец, Пушкин и Павловск»

3 СЕНТЯБРЯ 1944 г., № 212 (9668) ПРАВДА 3

СООБЩЕНИЕ
Чрезвычайной Государственной Комиссии
по установлению и расследованию злодеяний немецко-фашистских захватчиков и их сообщников

О разрушениях памятников искусства и архитектуры в городах Петродворец, Пушкин и Павловск

Немецкие громилы разграбили и разрушили памятники искусства Петродворца

Гитлеровские бандиты разрушили дворцы города Пушкин

Писатель Алексей Толстой и другие представители Чрезвычайной Государственной Комиссии осматривают разрушения Большого зала Екатерининского дворца.

Разрушение Павловского дворца в городе Павловск

К ответу немецко-фашистских варваров!

Разрушенный немецко-фашистскими варварами Большой дворец в Петродворце.

Петродворец
Большой дворец
Северная стена
Тронного зала
с уцелевшими
фрагментами лепных
цветочных гирлянд.
1944

Представители
Чрезвычайной
государственной
комиссии
осматривают
разрушения
Большого зала
Екатерининского
дворца в городе
Пушкине. 1944

Павловск. Большой
дворец. Картинная
галерея. 1944

Петродворец
Пролом в стене
Большого дворца.
1944

Павловск. Разбитая скульптура «Нимфа с раковиной» из Кавалерского зала, найденная при расчистке завалов в Египетском вестибюле Большого дворца, в процессе реставрации. 1956

Нюрнберг. Во Дворце правосудия заседает Международный военный трибунал. У свидетельского пульта — директор Эрмитажа академик И. Орбели

Нюрнберг. На скамье подсудимых — главные военные преступники

ПЕТРОДВОРЕЦ

Верхний сад

Большой дворец

Большой каскад

Нижний парк

Парк «Александрия»

ПЕТРОДВОРЕЦ

Архитектурно-художественный ансамбль Петродворца (до 1944 года — Петергоф) относится к числу памятников, принесших русскому искусству мировую славу. Дворцово-парковый комплекс, расположенный на берегу Финского залива в 29 километрах западнее Ленинграда, включает в себя 14 парков общей площадью около 1500 гектаров. Среди них наибольшую историко-художественную ценность имеет регулярный ансамбль, созданный в начале XVIII века как своеобразный триумфальный монумент в честь победоносного завершения Северной войны (1701—1721). Торжество России, утверждение ее морского могущества нашли выражение в парадности парков, изяществе дворцов, сверкающих потоках фонтанов и каскадов, золоченых статуях богов и героев древности. Здесь слиты воедино произведения архитектуры и скульптуры, садово-паркового и инженерного искусства. Решающая же роль в ансамбле по праву принадлежит фонтанам. Почти две тысячи струй образуют поистине феерическую картину, то поднимаясь сплошной стеной, то причудливо переплетаясь, рассыпаясь букетами или сливаясь в сверкающую пелену. Фонтаны Петергофа, превосходя по обилию воды, высоте струй и длительности действия водометы Версаля, не имеют себе равных.

Первое упоминание о Петергофе относится к 1705 году — времени строительства Петербурга. Еще шла Северная война, но на Балтике уже появились паруса русских кораблей, а Петр I на только что завоеванном участке Балтийского побережья, в устье Невы, заложил новую столицу. Для ее защиты со стороны моря на острове Котлин начали возводить «ситадель Кроншлот» — будущую военно-морскую крепость Кронштадт.

Строительству крепости Петр I уделял большое внимание и постоянно бывал на острове. Часть пути проходила по южному побережью залива. На том месте, откуда ближе было до Котлина, на самом взморье, был возведен путевой дворец с двумя светлицами. Место это стало называться Петергоф (в переводе с немецкого «Петров двор»). Здесь Петр I останавливался во время своих поездок из юного Петербурга в строящийся Кронштадт. Один из таких приездов, 13 сентября 1705 года, отмечен в «Походном журнале» Петра I.

Замысел создания парадной летней резиденции, которая бы «зело первейшим монархам приличествовала», возник у Петра I сразу же после Полтавской победы 1709 года, а «26 мая 1710 года царское величество изволил рассматривать место сада и назначить дело плотины, грота и фонтанов Петергофскому строению». Устройство парков и фонтанов намечалось вблизи расположенных на побережье «попутных светлиц», а художественный облик будущего ансамбля должен был прославить Россию как крупнейшую морскую державу.

Основная схема планировки центральной и восточной частей Нижнего парка, предусматривавшая соединение в одно композиционное целое дворца, грота с каскадом и канала, принадлежит Петру I. Наброски, сделанные рукой Петра, пункты указов, надписи и пометки на чертежах доказывают, что его влияние на строительство Петергофа сказалось не только на общем плане, но порой детально определяло декоративное решение отдельных сооружений.

Главными исполнителями замыслов Петра были архитекторы И.-Ф.Браунштейн, Ж.-Б. Леблон, Н. Микетти, М. Земцов, П. Еропкин, Т. Усов, И. Устинов, Ф. Исаков, инженер-гидравлик В. Туволков, фонтанный мастер П.-И. Суалем, скульптор Б.-К. Растрелли и его русские ученики, а также садоводы Л. Гарнихфельт, А. Борисов. Каждый из них сыграл значительную роль, воплощая и развивая идеи Петра, проявив при этом большой художественный вкус и творческую индивидуальность. Огромна заслуга в создании Петергофа строительных команд Канцелярии от строений, мастеров и подмастерьев садового, фонтанного, живописного, резного дела и других специалистов, приехавших со всех концов России и приглашенных из-за рубежа. Осуществление этого грандиозного замысла предполагало колоссальный объем подготовительных работ. Судя по архивным данным, уже в 1712 году здесь было

занято более восьмисот рабочих с двумястами подводами. Из сотен «работных людей» — крепостных крестьян и солдат, осушавших низкие берега, рывших каналы, забивавших сваи, прорубавших аллеи, сооружавших первые постройки Петергофа,— многие умерли от непосильного труда, голода и болезней.
Строительство на пустынном берегу залива приобрело еще больший размах после победы русского флота при Гангуте в 1714 году. В этот период определилась пространственная композиция ансамбля, сохранившаяся впоследствии без существенных изменений. Ядром композиции стали Верхние палаты, расположенные на краю высокой естественной гряды. С юга к ним примыкал Верхний сад, разбитый на верхней террасе, а от подножия склона до залива простирался Нижний парк. Ось симметрии ансамбля, начатая в Верхнем саду центральным партером, сориентированным по цетральной оси Верхних палат, продолжалась в Нижнем парке Морским каналом, который делил его на две части — западную и восточную. Руководил работами архитектор И.-Ф. Браунштейн.
В 1716 году руководство строительством возглавил французский архитектор Ж.-Б. Леблон. Зодчий подчеркнул репрезентативный характер дворца: возведенные им Верхние палаты представляли собой двухэтажное здание, длина которого соответствовала протяженности расположенного у его подножия Большого каскада. В центре дворца он разместил украшенный деревянными панелями, живописью и резьбой двусветный парадный зал — Итальянский салон. Леблон разработал также проект отделки кабинета Петра I резными дубовыми панелями по эскизам Н. Пино. Но основное внимание зодчий уделил составлению обширной программы убранства Нижнего и Верхнего парков фонтанами. Представленный им на утверждение Петру I в феврале 1717 года «Водяной план» включал и проект водоснабжения Большого каскада. По рисункам Леблона и Браунштейна была создана свинцовая скульптура, украшавшая водометы Большого каскада.
После смерти Леблона в 1719 году главным архитектором Петергофа стал Н. Микетти, незадолго до этого приехавший из Италии. Микетти частично изменил облик Верхних палат, пристроив к центральному корпусу галереи, завершавшиеся двухэтажными флигелями. Фасады флигелей и галерей он отделал декоративными деталями из камня и скульптурой. Значительно усложнил зодчий и облик Большого каскада: создал Малый грот с двумя фонтанами-маскаронами, украсил каскадные ступени свинцовыми барельефами, статуями и вазами, усилил его фонтанную декорацию.
С деятельностью Микетти связан важнейший этап первоначального строительства ансамбля, когда были спроектированы, начаты или построены основные фонтанные сооружения. В их числе фонтан «Пирамида», задуманный Петром I как своеобразный обелиск в честь побед русской армии и флота (его форму создают 505 вертикальных струй, выбрасываемых на разную высоту), парные фонтаны «Адам» и «Ева», скульптуры для которых выполнил по заказу Петра I венецианский мастер Дж. Бонацца. По-видимому, изображения прародителей человеческого рода должны были подчеркнуть идеальный характер петергофского парадиза.
Для питания водой многочисленных фонтанов в 1720—1721 годах по проекту инженера-гидравлика В. Туволкова был создан уникальный водовод. Найденное им простое, но эффективное решение основывалось на использовании естественных водотоков, объединение которых в самотечную гидротехническую систему оказалось возможным благодаря понижению местности к морю. К фонтанам была подведена вода с богатых подпочвенными ключами и родниковыми речками Ропшинских высот, вырыты пруды-хранилища общей площадью около 100 гектаров, построены каналы со шлюзами, чтобы регулировать ее поступление.
В период с 1719 по 1723 год размах работ в Петергофе наиболее впечатляющий: только на прокладке Ропшинского водовода ежедневно трудилось более пяти тысяч человек. Его строительство позволило начать сооружение еще двух фонтанных каскадов по проектам Н. Микетти — Руинного в восточной части парка, который начали строить в 1721 году, в год заключения Ништадтского мира и который предполагалось декорировать под руины шведской крепости, и Марлинского — в западной. Последний стал составной частью обширного Марлинского комплекса, включавшего в себя, кроме каскада, регулярный сад с системой прудов, фонтанами, скульптурой, трельяжными беседками и дворцом. Строительство марлинского комплекса было начато Петром I под впечатлением посещения в 1717 году резиденции французских королей в Марли-ле-Руа под Парижем. Отсюда происходит и название дворца, возведенного в 1720—1723 годах архитектором И.-Ф. Браунштейном.
Двухэтажное, кубического объема здание, увенчанное шатровой кровлей, имело сдержанный внешний декор. Столь же скромным было и убранство внутренних покоев: деревянные панели — в Дубовом и Чинаровом кабинетах, декоративная ткань — в Спальне и двухцветные изразцы — в Кухне.

В 1721—1725 годах по проекту Браунштейна в западной части Нижнего парка возводится павильон «Эрмитаж» («Приют уединения») — характерное для регулярных парков XVIII века сооружение. Двухэтажный павильон на высоком цоколе с четырех сторон окружал ров с водой, подчеркивавший его изолированность и уединенность. Через ров был переброшен подъемный мостик.
Павильон предназначался для интимных собраний небольшого числа придворных. В Столовый зал, расположенный на втором этаже, гости попадали с помощью специального кресла, снабженного подъемным механизмом. Декоративная отделка интерьеров Эрмитажа завершилась уже после смерти Петра I, но в соответствии с его

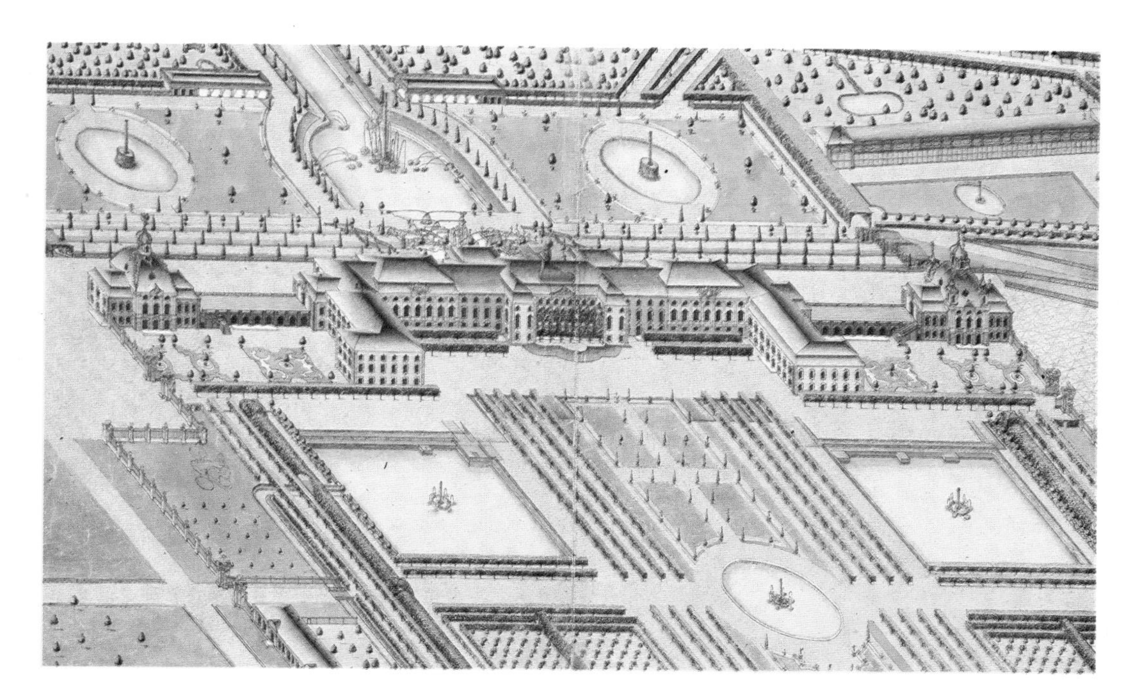

Большой дворец
со стороны
Верхнего сада
Аксонометрический
план
план П.-А. Сент-Илера. 1772

Большой дворец
и Большой каскад
Аксонометрический
план П.-А. Сент-Илера. 1773

указом: стены Столового зала в нижней части закрывались дубовыми панелями, простенки украшались картинами.
Композиционно Эрмитаж был связан с симметрично расположенным — относительно оси Морского канала — в восточной части Нижнего парка дворцом «Монплезир» (эта связь нашла отражение и в первом наименовании павильона «Эрмитаж» — «Малый Монплезир»). В сооружении изящного одноэтажного дворца на искусственной насыпной террасе у самого морского берега принимали участие архитекторы И.-Ф. Браунштейн, Ж.-Б. Леблон и Н. Микетти. В 1717 году была закончена центральная часть здания (жилые палаты), затем пристроены галереи и люстгаузы (люстгауз — в переводе с немецкого «дом для увеселений»), а в 1723 году завершены все отделочные работы. Во внешнем облике дворца отчетливо прослеживались мотивы голландской архитектуры XVIII века: в обработке его фасадов применены кирпич, дерево и тесаный камень.
Отделка интерьеров Монплезира также не поражала роскошью, но все использованные элементы декора, в числе которых резьба, изразцы, орнаментальная лепка,

скульптура и живопись — отличались изысканностью и многообразием форм. Практически для всех помещений дворца французский художник Ф. Пильман совместно с русскими мастерами Ф. Воробьевым, Л. Захаровым, Д. Соловьевым, С. Бушуевым и М. Негрубовым выполнил плафонные росписи. Смысловым центром этой сюиты живописных работ стал плафон Центрального зала дворца, изображающий Аполлона в окружении персонажей комедии масок. Основным элементом убранства люстгаузов и галерей стала коллекция полотен голландских и фламандских живописцев XVII—XVIII веков — всего около двухсот произведений. Еще при жизни Петра I Монплезир являлся одной из первых картинных галерей России.

Большой дворец и Большой каскад. Гравюра Ш. Нике по рисунку Леспинаса. Вторая половина XVIII в.

15 августа 1723 года состоялось официальное открытие резиденции. И хотя еще не все было закончено, но красотой местоположения, многоводностью фонтанов и Большого каскада она уже производила сильное впечатление. Сады украсились узорными цветниками, трельяжными беседками и перголами, многочисленными мраморными и свинцовыми скульптурами. Деревья и кустарники на аллеях и боскетах были подстрижены в форме кубов, шаров, пирамид. Основу зеленого массива составляли посадки деревьев, привезенных из разных регионов России и из-за границы. Так, тысячи ильмов и кленов доставили из Московской губернии, липы — из угодий Новгородских монастырей, барбарис и розовые кусты — из Данцига и Ревеля.

После официального открытия резиденции руководство продолжавшимися работами было поручено архитектору М. Земцову, которому Петр I лично передал все проектные чертежи. Однако смерть Петра I в январе 1725 года помешала осуществлению новых широких замыслов по дальнейшему совершенствованию петергофского дворцово-паркового ансамбля. После почти пятилетнего затишья, вызванного переездом царского двора в Москву, в 1730 году к Петергофу вновь вернулось значение главной загородной резиденции. С этим связано оживление строительной деятельности. Руководивший в это время работами архитектор М. Земцов и его помощники И. Бланк и И. Давыдов предприняли перестройку Руинного каскада. Здесь появились три раскрашенных деревянных дракона, выполненных резчиком Г.-К. Оснером. С тех пор каскад стали называть Драконовой горой, а несколько позднее, когда сливные скаты каскада были расписаны черно-белыми квадратами, у него появилось еще одно название — Шахматная гора. Площадь перед каскадом украсили два фонтана, напоминающие своим обликом водометы на площади Св. Петра в Риме.

Верхний сад, при жизни Петра I использовавшийся как огород и фруктовый сад, с возведением в нем в 1734—1738 годах пяти фонтанов, украшенных свинцовыми

скульптурными группами, выполненными Б.-К. Растрелли, приобрел парадный характер. В центральном бассейне сада поместили золоченую свинцовую группу «Телега Нептунова».
Важнейшим событием этого периода стала установка в 1735 году в ковше Большого каскада нового фонтана со скульптурной группой работы Б.-К. Растрелли «Самсон, раздирающий пасть льва», сооруженного в честь двадцатипятилетия Полтавской победы (1709).
Значительная перестройка дворца осуществлялась в 1745—1755 годах по проекту Ф.-Б. Растрелли. Скромные петровские Верхние палаты превращаются в импозантное

Большой бассейн
Верхнего сада
Гравюра
А. Ухтомского
по картине
Сем. Щедрина.
Начало XIX в.

здание в стиле русского барокко. Сохранив их старую композицию и внешний вид, характерный для архитектуры первой четверти XVIII века, зодчий повысил на один этаж центральный объем здания, по обе стороны от него возвел одноэтажные галереи, завершавшиеся двумя корпусами: с запада — Гербовым, с востока — Церковным.
Оставив в неприкосновенности лишь Дубовую лестницу и кабинет Петра I, Растрелли создал во дворце блестящую анфиладу парадных залов, украсив их золоченой резьбой, зеркалами, живописными плафонами и наборными паркетами. Замыслы архитектора выполняли талантливые резчики по дереву С. Архипов, В. Яковлев, С. Данилов, Ф. Лаврентьев, живописцы И. Вишняков, братья И. и А. Бельские, Б. Тарсиа, Дж. Валериани. Перестройке Большого дворца придавалось особое значение: в честь этого события был предписан выпуск памятной медали «На увеличение здания увеселительного дворца в Петергофе. 1745». В эти же годы Растрелли построил Екатерининский корпус дворца «Монплезир», ограду Верхнего сада, затейливые трельяжи у фонтанов «Адам» и «Ева».
Спустя восемь лет после окончания перестройки дворца, в 1763 году, по проекту Ж.-Б. Валлен-Деламота было осуществлено новое оформление двух помещений, расположенных по сторонам центрального зала дворца. Основу новой декорации составили створки лаковых китайских ширм начала XVIII века. Роспись дверных створок, панелей и оконных откосов была исполнена «лакирного дела мастером» Ф. Власовым с учениками. Одновременно с устройством Китайских кабинетов Валлен-Деламот переделал Итальянский салон. Помещенные здесь в шпалерной развеске 368 портретов, преимущественно женских, выполненных П.-А. Ротари, дали залу новое название — Картинный зал.
В 70-х годах XVIII века некоторые интерьеры Большого дворца вновь подверглись переделке в соответствии с художественными принципами русского классицизма.

По проекту архитектора Ю. Фельтена полностью изменяется растреллиевское оформление Аванзала, Столового и Тронного залов, частично — Будуара и Опочивальни императрицы. На смену причудливым резным композициям пришел сдержанный лепной декор. Барельефы Столового зала отражали его назначение: цветы и фрукты, охотничьи трофеи, колчаны со стрелами и музыкальные инструменты — все эти атрибуты, прихотливо скомпонованные, оживляли гладкие светлоокрашенные плоскости стен. В отделку новых залов Фельтеном были включены живописные произведения: парадные портреты и изображения морских баталий — в Тронном зале — и 12 картин художника Я.-Ф. Гаккерта, посвященные победам

Картинный зал в Большом Петергофском дворце. Акварель Л. Премацци. 1855

русского флота при Чесме во время русско-турецкой войны (1768—1774) — в Аванзале, получившем впоследствии название «Чесменский».

На рубеже XVIII и XIX веков самым крупным событием в истории Петергофа явилось обновление скульптурного убранства Большого каскада. К концу XVIII века форма большинства свинцовых статуй и ваз из-за мягкости свинца оказалась совершенно искаженной. В связи с этим в 1799 году было принято решение о замене свинцовых статуй новыми, отлитыми из бронзы. Комиссия Академии художеств в составе скульпторов Ф. Гордеева, И. Мартоса и М. Козловского предложила отлить новые бронзовые статуи с античных оригиналов по гипсовым слепкам Академии художеств, а остальные статуи — по моделям русских скульпторов. Модели пятнадцати из тридцати двух статуй выполнили Ф. Шубин, Ф. Щедрин, И. Мартос, И. Прокофьев, Ж.-Д. Рашетт, М. Козловский. Отлитая мастерами-литейщиками В. Екимовым и Э. Гастклу бронзовая скульптура Большого каскада была полностью установлена в 1806 году. Проект постамента для самой крупной группы — «Самсон, раздирающий пасть льва»,— выполненной М. Козловским, создан архитектором А. Воронихиным.

В это же время по проектам Воронихина сооружаются каменные галереи-колоннады по сторонам Морского (Большого Самсониевского) канала, десять миниатюрных каскадов на террасах перед Большим дворцом и четвертый каскад Нижнего парка — Эрмитажный. В 50-х годах XIX века Эрмитажный каскад из-за разрушения пудостского известняка был разобран. На его месте по проекту архитектора А. Штакеншнейдера соорудили новый, за которым закрепилось название «Львиный». Крылья трехсторонней гранитной колоннады (высота колонн 8 метров) фланкировались фигурами бронзовых львов работы И. Прокофьева, а в центре ее была установлена статуя нимфы Аганиппы, отлитая по модели скульптора Ф. Толстого.

Последние по времени создания фонтаны Нижнего парка — «Нимфа» и «Данаида», украшающие две полукруглые мраморные скамьи в углах партера перед Большим

дворцом, выполнены по проекту А. Штакеншнейдера и установлены в 1856 году. Мраморные скамьи изготовлены мастерами Петергофской гранильной фабрики.
В непосредственной близости от регулярных Верхнего и Нижнего парков в 70-е годы XVIII — первой половине XIX века Дж. Кваренги, А. Менелас, А. Штакеншнейдер и другие архитекторы создали двенадцать пейзажных парков с дворцами и павильонами, занимавших площадь более тысячи гектаров.
Особое место среди них принадлежало обширному приморскому парку «Александрия». Территория будущего парка «Александрия» была подарена Петром I А. Меншикову, построившему здесь каменный дворец «Монкураж». В дальнейшем

Восточный Китайский кабинет
Акварель Е. Баумгартена.
Начало XX в.

усадьба опального князя неоднократно переходила из рук в руки. В 1825 году владельцем этой местности стал Николай I. Вскоре последовало его распоряжение «строить на месте, где Меншикова руина, сельский домик „Котич" со всеми хозяйственными заведениями и присоединением парка».
Новый дворцово-парковый ансамбль, названный по имени жены Николая I Александрией, сооружался по проекту архитектора А. Менеласа в 1826—1829 годах. Используя природный рельеф, Менелас и работавшие под его руководством садовые мастера Ф. Вендельсдорф, П. Эрлер и А. Гомбель на площади 115 гектаров создали удивительно живописный ландшафт. С большим искусством Менелас включил в пейзаж дворцовые здания и постройки малых форм, романтический облик которых созвучен общему стилю парка. В их числе — Руинный мост, Готический колодец, сельский домик «Ферма», впоследствии перестроенный А. Штакеншнейдером в двухэтажный Фермерский дворец.
В 1831—1833 годах парк украсила церковь Александра Невского, возведенная А. Менеласом и И. Шарлеманем по проекту знаменитого немецкого архитектора К.-Ф. Шинкеля в виде средневековой готической капеллы.
Главное здание ансамбля — дворец «Коттедж», построенный А. Менеласом в 1826—1829 годах, так же, как и большинство сооружений в Александрии, выполнен в стиле неоготики, получившем широкое распространение в русском и западноевропейском искусстве второй четверти XIX века.
В «готическом» стиле были выдержаны и оформление интерьеров Коттеджа, и предметы убранства: мебель, часы в виде средневековых соборов, ковры, узоры которых повторяли лепку потолков, рамы картин, ширмы, светильники. Стены дворцовых залов украшали первоклассные полотна И. Айвазовского, С. и М. Воробьевых, О. Кипренского, С. Щедрина, морские пейзажи голландских живописцев XVII — XVIII веков Я. Порцеллиса, Л. Бакгейзена, С. де Влигера, Я. ван Гойена и других.

«Дивный Петергоф, пышное жилище героев и богов», в котором фонтаны «посрамляют водометы всей вселенной», до 1917 года оставался летней столицей России, местом проведения торжественных приемов, празднеств и иллюминаций. После победы Великой Октябрьской социалистической революции Советское правительство незамедлительно приняло меры по сохранению национальных ценностей. Уже 7 ноября 1917 года было опубликовано постановление Народного комиссариата просвещения за подписью А. Луначарского об охране памятников искусства и старины. Этим постановлением предусматривался строгий учет дворцового имущества и «составление художественно-исторического каталога выдающихся и заслуживающих

Дворец «Марли» и каскад «Золотая гора» в Петергофе
Гравюра С. Галактионова. Начало XIX в.

внимания в художественном и исторически-бытовом значении предметов». В декабре для проведения этой работы была создана специальная Петергофская художественно-историческая комиссия. Дворцы открыли свои двери для трудящихся: 18 мая 1918 года по залам Большого дворца прошла первая экскурсия рабочих.
13 июля 1918 года В. И. Ленин подписал декрет Совета Народных Комиссаров о конфискации имущества низложенного Российского императора и членов императорского дома. Художественные собрания музеев Петергофа стали пополняться за счет музейных предметов из других пригородных дворцов: Знаменки, Михайловки, Ропши. После возвращения в 1921 году из Москвы эвакуированных Временным правительством петергофских ценностей началась планомерная работа по созданию на научной основе экспозиций дворцов-музеев.
В 30-е годы Петергоф превратился в один из крупнейших музейных центров страны. Были открыты для обозрения экспозиции в десяти дворцах, велась большая работа по изучению произведений искусства из музейных коллекций. Из года в год росло число посетителей музеев и парков. В 1940 году эта цифра достигла 2 миллионов человек. До 150 тысяч ленинградцев выезжало в Петергоф по выходным дням.
Великая Отечественная война принесла Петергофскому ансамблю тяжелейшие испытания. В первые же ее дни начались работы по эвакуации коллекций музеев Петергофа. В предельно сжатые сроки небольшому коллективу сотрудников пришлось проделать огромную работу: определить предметы, подлежавшие эвакуации в первую очередь, снять со стен живописные полотна, образцы декоративных тканей, упаковать фарфоровые и фаянсовые сервизы, хрусталь, люстры, мебель. В ящики укладывались не только различные элементы художественного убранства дворцовых залов, но и ценнейшая музейная документация.
Одновременно шел демонтаж фонтанов Большого каскада. В первую очередь была эвакуирована подписная бронзовая скульптура. Остальные бронзовые статуи

спрятали в туннелях рядом с Гротом. Вход в них был тщательно замаскирован и засеян травой.

«Сдвинуть с места пятитонную скульптуру „Самсон, раздирающий пасть льва" у нас не было ни приспособлений, ни сил,— вспоминал исполнявший в это время обязанности директора Петергофских дворцов-музеев М. Рэбанэ.— Так он и остался на месте, обложенный еще в первые дни войны мешками с песком».

Мраморные статуи укрыли в земле: для их захоронения вырыли ямы, дно и стенки которых укрепили утрамбованной глиной, чтобы защитить от воды. Скульптура в специальных ящиках засыпалась песком и покрывалась еще одним глиняным слоем. Только после создания такой водонепроницаемой капсулы яма засыпалась землей и покрывалась дерном.

Руководство эвакуацией и укрытием музейных ценностей легло на сотрудников Петергофских музеев М. Рэбанэ, А. Чубову, В. Сладкевич, Н. Удаленкова, Д. Риппа и других. Работы по упаковке, маркировке и отправке музейных ценностей шли круглосуточно.

А. Чубова писала в 1942 году из осажденного Ленинграда: «Каким чудом удалось вывезти ценности Гатчины, Пушкина, Петергофа и Павловска в условиях войны — это объяснить сейчас трудно...»

Из 4004 предметов, составлявших до войны коллекцию Большого дворца, было эвакуировано более 2000. Эвакуационные работы велись до последнего мгновения: заключительный эвакуационный акт датирован 20 часами 22 сентября 1941 года, когда бои шли уже в самом Петергофе. Этот документ свидетельствует о том, как бережно укрывалось все, что время и обстоятельства не позволили вывезти. Часть музейного имущества — громоздкая мебель, большие фарфоровые вазы, некоторые живописные произведения, ковры, изделия из бронзы — была спрятана в подвалах Большого дворца. В самом же дворце ценные наборные паркеты были укрыты и сверху засыпаны толстым слоем песка, оставшаяся в залах мебель зачехлена и отодвинута от стен.

С первого же дня оккупации в городе начались пожары, не пощадившие и Большой дворец. Командующий сухопутными фашистскими войсками генерал-фельдмаршал фон Рейхенау, выполняя указание Гитлера, отдал приказ: «...Войска заинтересованы в ликвидации пожаров только тех зданий, которые должны быть использованы для стоянок воинских частей. Все остальное должно быть уничтожено. Никакие исторические или художественные ценности на Востоке не имеют значения».

Центральная часть дворца и его северный фасад были уничтожены взрывом. Огонь поглотил все деревянные конструкции, крышу, внутреннюю отделку, паркеты, двери, оконные переплеты; снаряды и взрывные волны разбили междуэтажные перекрытия, согнули в спирали каркасы куполов.

В сообщении Чрезвычайной Государственной комиссии по установлению и расследованию злодеяний немецко-фашистских захватчиков от 3 сентября 1944 года говорилось: «...К моменту вторжения немецких захватчиков в Петродворце после эвакуации оставалось еще 34 214 различных музейных экспонатов (картин, художественных изделий, скульптуры) и 11 700 ценнейших книг... Ворвавшись в Петергоф 23 сентября 1941 года, немецкие захватчики сразу же приступили к грабежу ценностей дворцов-музеев и вывозили имущество дворцов в течение нескольких месяцев.

Из дворцов — Большого, Марли, Монплезира и Коттеджа — они разграбили и вывезли в Германию около 34 000... музейных экспонатов и среди них 4950 предметов уникальной мебели — английской, итальянской, французской и русской работы екатерининского, александровского и николаевского времени, много редких сервизов фарфора иностранных и русских заводов XVIII и XIX веков. Немецкие варвары содрали шелк, гобелены и другие декоративные материалы, украшавшие стены дворцовых залов...»

Варварами из гитлеровских кунсткоманд были похищены четыре скульптуры Большого каскада (в их числе шедевр русской скульптурной пластики — группа «Самсон, раздирающий пасть льва»), фонтанная группа «Нептун» из Верхнего сада и ряд других бронзовых, мраморных и свинцовых скульптур, оставленных в парках. Помимо Большого, подверглись разрушению Марлинский, Драконов и Львиный каскады. Огнем были уничтожены Екатерининский корпус Монплезира и Оранжерея.

Захватчики полностью уничтожили или повредили все фонтаны, подорвали гидротехнические сооружения, привели в негодность трубопроводы, каналы и шлюзы на всем протяжении водовода.

Все наиболее ценные архитектурные памятники Петергофа были превращены в опорные пункты гитлеровской обороны. На найденном после изгнания оккупантов в Фермерском дворце, где размещался немецкий штаб, макете минирования Петро-

дворцового укрепленного района указаны планы всех дворцовых построек прибрежной полосы, в том числе дворцов «Марли» и «Монплезир», павильона «Эрмитаж». Эти памятники подверглись циничному надругательству. Так, в саду и на морской террасе Монплезира оккупанты соорудили дзоты из срубленных вековых лип, перекопав весь участок ходами сообщений и опутав его колючей проволокой. Центральную часть дворца гитлеровцы использовали как казарму, а в западном корпусе устроили конюшню и уборную.
Документальные фотографии запечатлели облик дворца «Монплезир», разоренного фашистской солдатней: в Парадном зале содрана и сожжена дубовая облицовка

Верхний сад. Центральный партер. Опустевшие пьедесталы фонтанной группы «Нептун» и скульптуры «Аполлон Бельведерский», похищенных фашистами. 1946

стен, на живописном плафоне — пулевые пробоины; вдребезги разбиты изразцы Морского кабинета, Секретарской и Кухни, оголены стены Лакового кабинета. Общая сумма ущерба, нанесенного памятникам архитектуры Петергофа, исчислялась в 5 миллиардов 600 миллионов рублей.
14 января 1944 года началась операция по разгрому немецко-фашистских войск под Ленинградом. Отступая, гитлеровские захватчики стремились стереть с лица земли все, что еще не успели уничтожить. Был взорван дворец «Марли», лишь чудом избежали этой участи Большой дворец и дворец «Монплезир»: советским саперам удалось своевременно обнаружить и обезвредить заложенные в подвалы Монплезира и в грот Большого каскада мины замедленного действия. Сметенная мощным наступлением советских войск Петергофско-Стрельнинская группировка врага прекратила свое существование 19 января. А 27 января 1944 года Указом Президиума Верховного Совета СССР освобожденный город Петергоф был переименован в Петродворец.
Великая Отечественная война еще не закончилась, совсем недавно отшумели залпы салюта, возвещавшего полное снятие блокады Ленинграда, когда вышло Постановление Совета Народных Комиссаров СССР, определившее начало великой эпопеи восстановления. На первом ее этапе (1944—1945) проводились подготовительные работы: разминирование парка, расчистка аллей от завалов и зарослей, засыпка рвов, посадка деревьев, сбор сохранившихся фрагментов отделки зданий и установка на прежние места спасенных статуй.
Настоящим подвигом было разминирование парков, осуществленное воинами-саперами под командованием майора Г. Иванова и капитана П. Ельшина. Всего из земли было извлечено более 20 тысяч мин и снарядов.
Одновременно проводилась консервация уцелевших зданий. Неоценимое значение для дальнейшего восстановления имело создание хранилища фрагментов — остатков

лепнины и резьбы,— всего того, что можно было извлечь из руин, снять с ненадежных, полуразрушенных стен.
Безжизненными и мрачными выглядели разоренные парки Петродворца, лишенные своей души — фонтанов. На их восстановление, несмотря на послевоенные трудности, были отпущены значительные средства. Воссоздание разрушенного комплекса фонтанов предполагалось осуществить в течение нескольких лет. Пуск первой очереди намечался на август 1946 года, второй — на октябрь 1947-го, третьей — на июль 1948-го. Благодаря самоотверженным усилиям архитекторов, скульпторов, искусствоведов, мастеров-реставраторов, рабочих-строителей с этой задачей удалось

Большой дворец
и Большой каскад.
1944, январь

успешно справиться. Восстановление водометов первой очереди велось одновременно с реконструкцией водоподводящей системы.
26 августа 1946 года состоялся торжественный пуск 38 фонтанов первой очереди — водометов Морской аллеи, террасных фонтанов, «Сирен» и «Наяд» в ковше Большого каскада. Но в центре ковша, где до войны возвышался прославленный «Самсон», стояла, как напоминание об утрате, ваза с цветами.

Следующий, 1947 год ознаменовался возрождением Большого каскада и фонтана «Самсон, раздирающий пасть льва».
Восстановление архитектурного облика разрушенного Большого каскада осуществлялось в соответствии с проектом, разработанным в мастерской профессора А. Оля на основании чертежей, фотографий и других архивных материалов. Большой каскад — самое величественное фонтанное сооружение Петродворца, памятник отечественной боевой славы и замечательный пример органического синтеза архитектуры, скульптуры, фонтанного и ландшафтного искусства — был возрожден в течение трех лет.
Параллельно со строительными работами шло возрождение утраченных барельефов и статуй. Тематика скульптурного оформления Большого каскада в основном была заимствована из античной мифологии: языком аллегории здесь прославлялась победа России в борьбе за выход к Балтийскому морю и посрамлялся поверженный противник.
Расшифровку аллегорических сюжетов барельефов Большого каскада, подбор необходимых иконографических материалов произвела искусствовед М. Тихомирова. Группа ленинградских скульпторов под руководством И. Суворова сумела восстановить барельефы и другие уничтоженные фашистами скульптурные детали Большого каскада с максимальным приближением к подлинникам. При реставрации Большого каскада был восполнен ряд утрат, имевших место еще в XIX веке, как, например,

восемь дельфинов, оформлявших водометы на пьедестале «Самсона». Эту работу выполнил А. Гуржий.
Возрождение «Самсона» доверили старейшему и опытнейшему ленинградскому монументалисту, профессору скульптуры В. Симонову. С помощью Г. Преснова — известного знатока творчества М. Козловского — он изучил художественные приемы и особенности творческой манеры создателя «Самсона», разработал на основе немногочисленных довоенных фотографий несколько эскизов. Первый — высотой всего в 30 сантиметров, второй — в одну треть натуральной величины, и только затем приступил к лепке модели в полном размере — 3 метра 30 сантиметров. В работе по воссозданию «Самсона» участвовал также скульптор Н. Михайлов.
В августе 1947 года тысячи ленинградцев стали свидетелями того, как в открытой машине, направлявшейся в Петродворец, по городу везли сверкающего свежей позолотой «Самсона», а 14 сентября вновь взметнулся ввысь 22-метровый столб знаменитого фонтана.
Вернулись на свои места укрытые в начале войны в тоннелях террас и частично вывезенные в Ленинград золоченые статуи Большого каскада. Похищенные фашистами скульптуры «Волхов» и «Тритоны» работы И. Прокофьева, «Нева» Ф. Щедрина, маскароны Вакха и Нептуна, украшавшие Малый грот, были воссозданы ленинградскими мастерами И. Крестовским, В. Эллоненом, Н. Дыдыкиным и другими. Воссоздание всех трех статуй шло одновременно и основывалось на принципах и методах, разработанных для «Самсона» и барельефов.
Вместе с возрождением Большого каскада производилась реставрация и других фонтанных сооружений. В 1947 году получили второе рождение фонтаны Нижнего парка — «Нимфа», «Данаида», «Адам», «Ева», Менажерные, Римские и Марлинский каскад. Большой объем строительных и гидротехнических работ был сопряжен с очень сложными реставрационными проблемами: впервые в стране разрабатывалась методика восстановления фонтанов. Прежде всего заменялись поврежденные трубы, монтировалась внутренняя разводка, но особую сложность представляло изготовление новых форсунок, то есть свинцовых насадок, которыми заканчиваются выходные отверстия фонтанных труб. Эти форсунки, от которых зависела красота форм и разнообразие фонтанов, заново изготовили опытнейшие мастера П. Лаврентьев и А. Смирнов со своими помощниками. Они выполнили специальные насадки, образующие полый столб воды диаметром в 30 сантиметров для Менажерных фонтанов; особое устройство, состоящее из семи камер, прикрытых металлической плитой с отверстиями для форсунок, было воссоздано, чтобы все 505 струй фонтана «Пирамида» вновь образовали семиступенчатый белопенный обелиск в честь побед русского оружия.
Водяная декорация фонтанов и каскадов неотделима от архитектуры и скульптуры. Восстановлению водоподводящей системы фонтанов сопутствовала реставрация конструктивных и декоративных деталей водометов.
Для фонтанов «Мраморные скамьи» потребовалось вырубить из каррарского мрамора профилированные части с орнаментом, для Римских фонтанов — закрепить многоцветную мраморную облицовку, восполнив отбитые куски, для фонтанов «Адам» и «Ева» — восстановить утраченные части обрамления бассейнов. Скульптор Е. Захаров провел скрупулезные расчеты, чтобы соединить расколотую на части фигуру Евы скрытой в мраморе металлической конструкцией, и нашел остроумное техническое решение, благодаря которому замечательное творение венецианского мастера Дж. Бонаццы не было искажено.
Сто сорок семь фонтанов, три каскада, пятнадцать монументальных статуй, дельфины, маскароны, гирлянды и кронштейны — всего свыше трехсот декоративных деталей — таков убедительный итог воссоздания уникального ансамбля фонтанов и скульптуры XVIII—XIX веков — явления, не имеющего себе равных в мировой практике реставрации.
Выражая непреклонную волю народа возродить разрушенные немецкими захватчиками памятники, Совет Министров СССР принял решение о восстановлении художественной отделки парадных залов Большого дворца. Группу архитекторов-проектировщиков возглавил В. Савков.
«Мы понимали всю меру возложенной на нас ответственности. Проектирование велось на строго научной основе,— вспоминает один из авторов проекта архитектор Е. Казанская.— Действительно, в короткий срок было сделано много. Каким образом? Я думаю оттого, что пепел Петергофа стучал в наши сердца».
В 1951—1958 годах завершилось воссоздание фасадов Большого дворца. При восстановлении его внешнего облика самым сложным элементом оказалась фигурная шатровая кровля. Ее изысканный, тонко прорисованный силуэт и пластическое соотношение объемов придавали зданию особую торжественность. Ошибка в рисунке

кровли могла лишить дворец художественной выразительности, поэтому для достижения высокой точности был выполнен объемный макет здания, сопоставлявшийся с довоенными кадрами аэрофотосъемки.
Воссоздание интерьеров началось с Картинного зала — исторического и композиционного центра дворца, сохранившего вплоть до Великой Отечественной войны резную декорацию, выполненную по проекту Ф.-Б. Растрелли. В отличие от Екатерининского дворца в Пушкине, где удалось спасти значительную часть деревянной золоченой резьбы растреллиевских интерьеров, при восстановлении помещений Большого Петергофского дворца из-за отсутствия подлинных фрагментов

Восстановительные работы на Большом каскаде. 1946, лето

приходилось решать принципиально новые задачи. Не на все вопросы могли ответить черно-белые довоенные фотографии воссоздаваемых интерьеров. Скульпторами-реставраторами Л. Швецкой, Э. Масленниковым, Г. Михайловой, Г. Цыганковым, Н. Оде буквально «на ощупь» изучались образцы из Екатерининского дворца, копировались скульптуры, выполненные по рисункам Растрелли,— постигался дух эпохи и характерные особенности далекого от наших дней художественного стиля. Готовые модели тщательнейшим образом прорабатывались сначала в пластилине, затем в гипсе; скрупулезно выверялись высота и характер резного рельефа. Четыре восстановленных для Картинного зала десюдепорта — схожие по композиции, но разные в деталях — вырезаны из липы, то есть из того же материала, которым пользовались в XVIII веке, и позолочены старинным способом золочения «на полимент» *. Именно в Картинном зале Большого Петергофского дворца мастером-позолотчиком В. Слезиным был впервые применен этот возрожденный рецепт золочения, позволявший полировать отдельные части резного орнамента и скульптуры.

Плафон и декоративная роспись падуги Картинного зала стали первой пробой сил в возрождении монументальной живописи дворцов петергофского ансамбля. Эту ответственную задачу решила бригада художников во главе с Я. Казаковым. Документы сообщали, что живописные работы были исполнены летом 1726 года венецианским художником Б. Тарсиа совместно с русскими мастерами С. Бушуевым и М. Негрубовым, принимавшими также участие в создании сохранившихся плафонов Монплезира. Они и стали основным исходным материалом при освоении художественной манеры мастеров прошлого. В результате кропотливого изучения довоенных фотографий реставраторам удалось восстановить всю сложную многофигурную композицию росписи падуги. Многократно проверялось цветовое и тональное соотношение падуги с колоритом плафона и сюитой портретов П.-А. Ротари, вернувшихся из

---

* Полимент — грунт под полированную позолоту. В составе — глина, яичный белок, животные жиры, в том числе китовый. Масса наносится на резьбу тонкими слоями 8—10 раз.
Позолота «на полимент» — блестящая, в отличие от позолоты «на мордан» (масляный лак), который дает матовую фактуру.

Изготовление каркаса для глиняной модели скульптурной группы «Самсон, раздирающий пасть льва». 1947

Установка скульптурной группы «Самсон, раздирающий пасть льва» на пьедестал в ковше Большого каскада. 1947, 31 августа

Фонтан «Самсон, раздирающий пасть льва». 1801
Скульптор
М. Козловский
Воссоздан в 1947
В. Симоновым
и Н. Михайловым

эвакуации. Наконец 17 июня 1961 года роспись 80 квадратных метров падуги была закончена. Исполнение ее позволило сосредоточить все усилия на воссоздании сгоревшего плафона, включавшего в свою композицию 30 фигур и сложнейшие драпировки. Предстояло не только повторить все это с убедительной точностью рисунка, но и сохранить авторскую манеру мазка и лессировки. Художники-реставраторы имели в своем распоряжении лишь фотографии и описание плафона, а также два сохранившихся графических эскиза Б. Тарсиа. В поисках аналогов они обратились к гравюрам XVIII века, изучили плафоны того времени в Летнем дворце Петра I и Зимнем дворце в Ленинграде, Китайском дворце

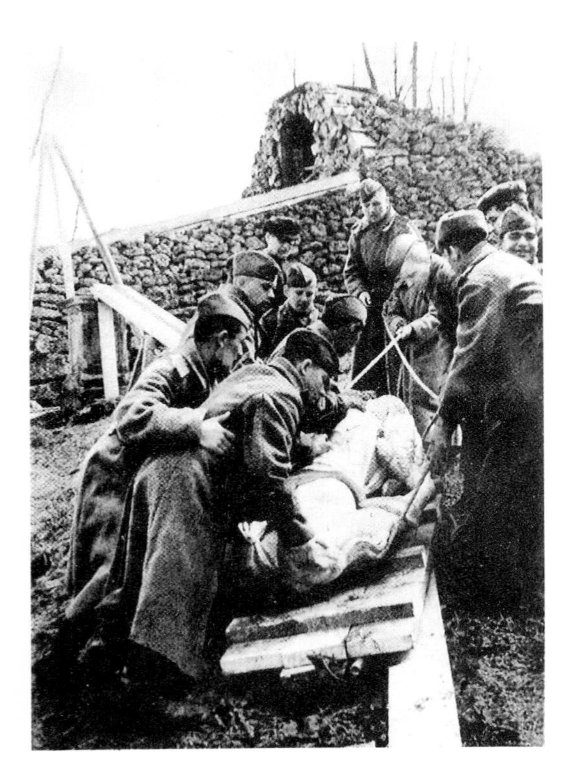

Установка скульптуры на каскаде «Шахматная гора». 1945, май

Восстановление Большого дворца. Резчик Н. Базанов за воссозданием резьбы Картинного зала

в городе Ломоносове (Ораниенбауме), Рундальском дворце в Латвии, копировали полотна мастеров венецианской школы. Результатом подготовительных работ стали 57 листов картонов, 18 эталонов, 35 листов с эскизами, кальки, эскизные проекты. Напряженный труд, начатый в 1959 году, завершился 16 октября 1963 года, когда громадный плафон был медленно поднят на блоках и закреплен на том месте, где более двухсот лет находился его прототип.

Одновременно с возрождением первого большого дворцового интерьера шло восстановление гостиных комнат — Диванной, Коронной и Куропаточной. Опыт, полученный при воссоздании растреллиевских резных композиций в Портретном зале, был использован в этих интерьерах в работе над резным декором, выполненным по проектам Ю. Фельтена и отличавшимся более строгими формами.

Поистине ювелирную реставрацию спасенных китайских шелков XVIII века со сложными акварельными рисунками для стен Диванной и Коронной гостиных выполнила художница А. Васильева. Часть их, недостающая для отделки помещений, была изготовлена заново. Картинный зал и все три гостиные открылись в 1964 году.

Различная стилистика декоративного решения интерьеров Большого дворца требовала от реставраторов исключительного художественного чутья и умения творчески перевоплощаться, чтобы в равной мере достоверно воссоздавать и причудливые орнаментальные фантазии Растрелли, и классически ясные лепные композиции Фельтена в Столовом, Чесменском и Тронном залах, где, к счастью, частично сохранились фрагменты отделки.

Серьезным испытанием профессиональных способностей скульпторов и лепщиков стало возрождение утраченных барельефов Тронного зала. Скульпторы-модельщики Г. Михайлова и Э. Масленников, осуществив реставрацию чудом уцелевшей композиции «Правосудие и Безопасность», вылепили модель утраченного барельефа «Истина и Добродетель»; затем, благодаря имевшимся сведениям об авторстве двух других барельефов — «Крещение Ольги» и «Возвращение Святослава из похода» (скульпторы А. Иванов и М. Козловский),— воссоздали и эти погибшие произведения.

К уникальным реставрационным работам может быть отнесено восстановление бригадой художников под руководством Л. Любимова декоративного оформления двух Китайских кабинетов. Из десяти подлинных лаковых панно сохранились лишь два: «Морской пейзаж» и «Рисовая плантация». Они, как и аналоги из других музеев, легли в основу воссоздания утраченных композиций. Этому процессу предшествовал долгий период изучения старинных рецептов лаковой живописи, и только тогда, когда

В. Никифоров,
Л. Любимов,
А. Солдаков
за воссозданием
плафона
Аудиенц-зала.
1978

появилась уверенность в том, что созданная методика и технология являются научно обоснованными, художники приступили к выполнению чрезвычайно трудоемких, требующих филигранной точности композиций: миниатюрных пейзажей, жанровых сцен, украсивших дверные откосы, филенки, облицовку оконных проемов. В последнюю очередь возрождались большие стенные панно.

Небывалую по сложности задачу пришлось решать реставраторам, работавшим над возрождением старейшего интерьера Большого дворца — Дубового кабинета Петра I. Восемь из четырнадцати резных панно, выполненных для отделки этого кабинета по эскизам знаменитого скульптора XVIII века Н. Пино и составлявших аллегорическую сюиту с портретами Петра I и Екатерины I, удалось спасти. Три из шести погибших композиций воспроизвели модельщик Н. Оде и резчик Б. Гершельман. На повторение первого из утраченных шедевров — панно «Корона городов» — ушло 15 месяцев, и в 1969 году он занял достойное место среди спасенных подлинников. Остальные панно воссозданы по моделям Н. Оде резчиком В. Ивановым.

Немаловажную роль в воссоздании исторического облика дворцовых интерьеров сыграли и реставраторы-паркетчики. Бригада И. Антонова уложила много сотен квадратных метров сложнейших по композиции, изысканных по сочетанию фактур и цветов наборных паркетов в Тронном и Чесменском залах, в Китайских кабинетах и других интерьерах.

Шли годы. Восстановление дворца продолжалось. Оттачивалось мастерство реставраторов, непрерывно совершенствовались методика и технология реставрационных работ. По традиции, каждую весну к открытию сезона появлялись все новые и новые возрожденные залы, памятники, фонтаны, каскады.

Одна из последних работ в Большом дворце — восстановление Парадной лестницы, завершенное в 1985 году (авторы проекта Е. Казанская, А. Вехвиляйнен, А. Леонтьев). Помимо затейливой растреллиевской резьбы, здесь была воссоздана орнаментальная

живопись падуги и стен, выполненная в технике «гризайль» художником А. Б. Перезинотти и его помощниками из Живописной команды И. Вишнякова в середине XVIII века. Эти утонченные по колориту композиции восстановлены Л. Любимовым, В. Корбаном и В. Никифоровым. Много сил отдали В. Корбан и В. Никифоров воссозданию живописного плафона Парадной лестницы «Триумф весны». Ими же осуществлено возрождение плафона «Аполлон и музы на Парнасе», написанного Б. Тарсиа в 1751 году для Танцевального зала — еще одного интерьера Большого дворца, оформленного по проекту Ф.-Б. Растрелли. До последнего времени считалось, что живописные произведения Тарсиа не сохранились. Однако недавно они были обнаружены в Венеции вместе с эскизами его плафонов. Представилась возможность с большей степенью достоверности воспроизвести колористические особенности и творческую манеру замечательного художника-монументалиста.
Танцевальный зал, а вместе с ним и еще ряд помещений южной анфилады дворца — место приложения сил реставраторов в последние годы: ведется воссоздание резного декора этих интерьеров. Всего в Большом дворце сейчас открыто для посещения 30 музейных залов.
Восстановление экспозиций Большого дворца и других музеев Петродворца — комплектование фондов, поиски и находки интереснейших произведений искусства, выполненных крупнейшими мастерами и ранее принадлежавших петергофским дворцам, а также аналогичных утраченным в годы Великой Отечественной войны, потребовало многолетнего творческого труда научных сотрудников дворцово-паркового комплекса — одного из крупнейших в нашей стране.
Первым из малых дворцов, открывшихся для посещения, стал павильон «Эрмитаж» (1952). Возвращенная из эвакуации живопись заняла свои места в шпалерной развеске, были воссозданы обстановка и оборудование Кухни, паркет в Столовом зале, дубовая резьба кронштейнов и балконные решетки. Сложные работы проводились в 1970—1971 годах по реконструкции стилобата и рва.
В 1954 году по проекту архитектора Е. Казанской восстановлены фасады дворца «Марли». В 1970—1980 годах осуществлена комплексная реставрация Марлинского ансамбля. Планировка этого района Нижнего парка была воссоздана в соответствии с чертежами XVIII века: восстановлены 22 мраморные ступени Марлинского каскада, вызолочены их медные отвесы, реставрирована мраморная и золоченая скульптура, бассейны фонтанов. А в 1982 году открылись для обозрения интерьеры историко-художественного музея во дворце «Марли» (автор проекта реставрации А. Гессен). При воссоздании экспозиции музея наибольшую сложность представляло восполнение потерь, которые понесла, как и в других дворцах Петергофа, коллекция мебели. Кропотливые поиски позволили найти полноценную замену.
Несмотря на значительные утраты, менее других дворцов пострадал Монплезир. В Парадном зале уцелела живопись плафона и падуги, а также лепной фриз и скульптурные аллегории времен года. Сохранилась живопись и лепка перекрытий во всех остальных помещениях дворца. Восстановительные работы в Монплезире начались в 1951 году. В процессе консервации и расчистки росписей были выявлены и устранены позднейшие записи и воссозданы утраты. Скрупулезное обследование памятника помогло сделать сенсационное открытие: авторами панно Лакового кабинета Монплезира, 250 лет считавшихся произведениями китайских мастеров, оказались «лакирного дела мастера» И. Тиханов и П. Федоров с десятью учениками. Это открытие натолкнуло на мысль поручить воссоздание лаковых росписей художникам прославленного Палеха во главе с Н. Зиновьевым. Блистательно выполненные композиции — подлинный триумф потомственных мастеров миниатюрной живописи — прямых наследников традиций создателей монплезирских лаков.
Венцом многолетней реставрации Монплезира, завершившейся в 1965 году, явилось возрождение «голландских кафлей». Кухню, Секретарскую и Морской кабинет дворца украшало пять тысяч расписных изразцов с изображением пейзажей, кораблей и жанровых сценок, причем каждый из них был оригинальной композицией. Довоенные фотографии, уцелевшие плитки, изразцы из Меншиковского и Летнего дворцов в Ленинграде использовал архитектор А. Гессен при разработке композиций 50 различных сюжетов для Кухни и 16 — для Морского кабинетта.
Большие сложности возникли при переводе этих композиций в материал. Не один год потратил художник Б. Мицкевич на разгадку секрета изготовления «кафлей»: были перепробованы различные материалы, способы обжига, температурные режимы. Изготовленные изразцы по фактуре, цвету и рисункам точно соответствовали оригиналам.
Завершившееся в конце 1978 года возрождение дворца-музея «Коттедж» в парке «Александрия» (автор проекта И. Бенуа) стало первым в ленинградских пригородах примером комплексного, а не поэтапного восстановления памятника. Во время войны

серьезно пострадала отделка помещений дворца, выполненная в неоготическом стиле. Наиболее трудоемким процессом стало восстановление тончайшей резьбы, украшавшей двери и оконные заполнения, а также чугунных и лепных деталей потолков, падуг, фасадов (стрельчатые ажурные арки, остроконечные фронтоны, решетки балконов и террас).
Сложной проблемой оказался и подбор произведений декоративно-прикладного искусства взамен утраченных. Так, предметы мебели, изготовленные специально для Коттеджа мастером Г. Гамбсом по рисункам А. Менеласа и составлявшие единый ансамбль с интерьерами, не всегда было возможно заменить на аналогичные по стилю. Поэтому на основе архивных документов мастерам-реставраторам пришлось воссоздать несколько предметов обстановки (шкафы, диваны, кресла). В настоящее время проводятся работы по реставрации других сооружений и ландшафта Александрии — выдающегося памятника русской архитектуры и паркостроения XIX века.
В 1972 году закончилось воссоздание регулярной композиции Верхнего сада — первый опыт такой работы в Советском Союзе. За основу проекта воссоздания (авторы П. Ковалевский и Р. Контская) были взяты аксонометрические чертежи П.-А. Сент-Илера, выполненные в 1772—1773 годах. За годы реставрации восстановлены фонтаны и дренажная система, беседки, боскеты, перголы, возобновлена облицовка гранитом, мрамором и ревельским известняком кордонов и бассейнов фонтанов. Старые, больные и израненные деревья заменены аллейными посадками двадцатилетних лип. Восстановлено также скульптурное убранство Верхнего сада: вновь центральное место в его ансамбле занимает похищенная гитлеровской кунсткомандой и возвращенная в Петродворец в 1947 году фонтанная группа «Нептун».
Последняя работа реставраторов — возрождение интерьеров Екатерининского корпуса Монплезира — шестого действующего историко-художественного музея петродворцового комплекса. На очереди — реставрация Фермерского дворца, Царицына и Ольгина павильонов и других дворцовых зданий.
«Преданьями своими старый и вечно юный Петергоф» бережно хранит память о героических страницах прошлого, о мастерах, создавших и возродивших его красоту. Возрожденный руками советских людей, дворцово-парковый ансамбль Петергофа — символ победы гуманизма над варварством, вечный памятник героям России.
За большой вклад в восстановление и развитие дворцов-музеев и парков и в связи с 250-летием город Петродворец в 1973 году указом Президиума Верховного Совета СССР награжден орденом «Знак Почета».

Верхний сад
Архитекторы
И.-Ф. Браунштейн,
Ж.-Б. Леблон,
садовые мастера
Л. Гарнихфельт,
А. Борисов,
1714—1724;
архитекторы
И. Бланк,
И. Давыдов,
1733—1739
Воссоздан в 1968
по проекту
П. Ковалевского
и Р. Контской

Фонтан «Нептун».
1650—1660
Скульпторы
Х. Риттер,
Г. Швейгер,
И. Эйслер,
В.-И. Герольд,
И.-Я. Вольраб
Германия, Нюрнберг
Скульптурная
группа установлена
в 1799
Реставрирован
в 1956
Фигура всадника
воссоздана в 1973
В. Татаровичем

Центральный партер
и солнечные часы

Фонтан «Дубовый»
Скульпторы
Б.-К. Растрелли,
1734; Де Росси,
середина XIX в.
Скульптура
«Мальчик с маской»
установлена в 1929
Восстановлен в 1970
по проекту
П. Ковалевского

Церковный корпус
и Восточный
квадратный пруд

Зефир. 1757
Скульптор
А. Бонацца. Италия

Помона. 1757
Скульптор
А. Бонацца. Италия

Верхний сад.
Центральный
партер,
уничтоженный
немецким
противотанковым
рвом. 1944

Петродворец. 1944

Большой дворец
Архитекторы
И.-Ф. Браунштейн,
Ж.-Б. Леблон,
Н. Микетти,
1714—1725;
Ф.-Б. Растрелли,
1745—1755;
А. Штакеншнейдер,
1847
Фасад дворца
восстановлен в 1958,
первые интерьеры —
в 1964
Авторы проекта
реставрации А. Оль,
В. Савков,
Е. Казанская
(фасады); В. Савков,
Е. Казанская,
А. Вехвиляйнен,
А. Леонтьев
(интерьеры)
Большой каскад
Архитекторы
И.-Ф. Браунштейн,
Ж.-Б. Леблон,
Н. Микетти,
М. Земцов,
инженер-гидравлик
В. Туволков,
фонтанный мастер
П.-И. Суалем,
1715—1724;
скульпторы
И. Мартос,
И. Прокофьев,
М. Козловский,
Ж.-Д. Рашетт,
Ф. Шубин,
Ф. Щедрин,
Ф. Гордеев,
В. Екимов,
Э. Гастклу,
1799—1806
Восстановлен
в 1947—1950

Парадная лестница
Деталь резного декора
Кариатиды воссозданы по моделям Г. Михайловой и Э. Масленникова

Парадная лестница
Зима. 1751
Дерево, позолота

Парадная лестница
Архитектор
Ф.-Б. Растрелли,
1750-е
Восстановлена
в 1985

Дубовый кабинет
Петра I
Панно «Осень» по
рисунку Н. Пино
Воссоздано в 1966
Б. Гершельманом
по модели Н. Оде

Дубовый кабинет
Петра I
Панно «Лето»
по рисунку Н. Пино

Дубовый кабинет
Петра I
Архитектор
Ж.-Б. Леблон,
скульптор Н. Пино.
1718—1720

Картинный зал
Архитекторы
Ж.-Б. Леблон,
Н. Микетти,
1716—1724;
Ж.-Б. Валлен-
Деламот, 1764
Восстановлен в 1964

Западный Китайский кабинет
Архитектор
Ж.-Б. Валлен-Деламот.
1766—1769
Восстановлен в 1973

Северная анфилада
Большого дворца
Вид из Восточного
Китайского кабинета

Восточный
Китайский кабинет
Лаковое панно
«Маньчжурский
военный сбор».
Начало XVIII в.
Китай
Воссоздано в 1972
Л. Любимовым

Диванная
Архитектор
Ф.-Б. Растрелли,
1750-е; Ю. Фельтен,
1770-е
Восстановлена в 1964

Куропаточная гостиная
Архитекторы
Ф.-Б. Растрелли, 1750-е;
Ю. Фельтен, 1770-е
Восстановлена в 1964

Кабинет
Архитектор
Ф.-Б. Растрелли.
1750-е
Восстановлен в 1980

Коронная
Обивка стен. Деталь
Шелк. Конец XVII в.
Китай

Коронная
Архитекторы
Ф.-Б. Растрелли,
1750-е;
Ю. Фельтен,
1770-е
Восстановлена в 1964

Туалетная
Туалетный прибор.
1838
Россия, Петербург,
Императорский
фарфоровый завод
Фарфор
Зеркало
в серебряной
раме с гербом
Российской
Империи. Середина
XVIII в.
Франция, Париж,
мастер
Ф.-Т. Жермен

Голубая гостиная
Архитекторы
Ф.-Б. Растрелли,
1750-е;
А. Штакеншнейдер,
1844
Восстановлена в 1980

Белая столовая
Лепное панно
«Игры амуров»
Скульптор
П. Бернаскони.
1770-е
Воссоздано в 1965

Белая столовая
Архитекторы
Ф.-Б. Растрелли,
1750-е;
Ю. Фельтен, 1770-е
Восстановлена в 1965

Большой дворец.
Белая столовая.
Восточная стена
с фрагментами
лепных композиций.
1948

Большой дворец
Аудиенц-зал
Архитектор
Ф.-Б. Растрелли.
1750-е
Восстановлен в 1979

Аудиенц-зал. Камин

Тронный зал
Архитекторы
Ф.-Б. Растрелли,
1750-е;
Ю. Фельтен, 1770-е
Восстановлен в 1969

Люстра.
1840—1850-е
Россия, Петербург,
Императорский
фарфоровый завод
Фарфор

Предметы Собственного сервиза: чайник, сливочник, тарелка, ваза, сухарница. Украшены гербом имения «Александрия». 1827—1829
Россия, Петербург, Императорский фарфоровый завод, Императорский стеклянный завод
Фарфор, стекло

Дельфтский фаянс
Голландия, первая половина XVIII в.

Предметы Бабигонского сервиза: бутылочная передача, соусник с поддоном, чашка с блюдцем, тарелка с видом дворца «Марли». 1823—1824
Россия, Петербург, Императорский фарфоровый завод
Фарфор

Ваза. 1748
Модель и роспись Д. Виноградова
Россия, Петербург, Императорский фарфоровый завод
Фарфор

Кубок Большого орла с вензелем Петра I. Первая четверть XVIII в.
Россия, Ямбургский завод
Стекло, гравировка

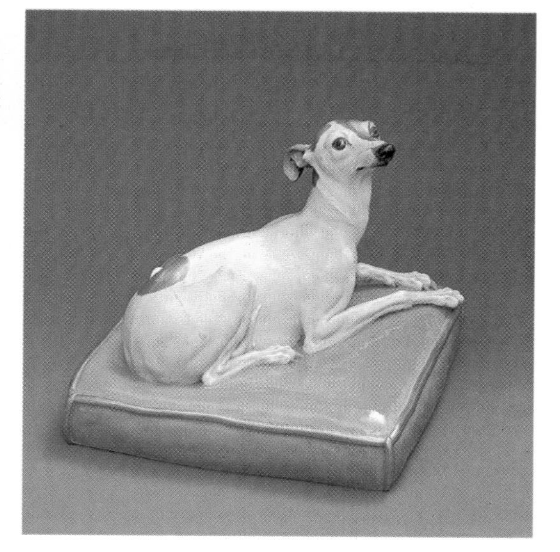

Левретка Земира. 1768
Скульптор Ж.-Д. Рашетт
Россия, Петербург, Императорский фарфоровый завод
Фарфор

Чесменский зал
Я.-Ф. Гаккерт.
1737—1807
Бегство турецкого флота в Чесменскую бухту. 1772

Чесменский зал
Архитекторы
Ф.-Б. Растрелли, 1750-е; Ю. Фельтен, 1770-е
Восстановлен в 1969

Вид из окна
Картинного зала
на Морской канал
и Нижний парк

Большой дворец
Северная стена
Тронного зала.
Через пролом
видны Нижний парк,
Морской канал
и ковш Большого
каскада с
восстановленным
«Самсоном». 1948

Большой Самсониевский (Морской) канал и аллея фонтанов
Архитекторы И.-Ф. Браунштейн, Ж.-Б. Леблон, Н. Микетти, инженер-гидравлик В. Туволков, 1714—1724; Н. Бенуа, 1859—1860
Канал реставрирован и облицован гранитом в 1963

Ковш Большого каскада
Фонтан «Сирены». 1805
Скульптор Ф. Щедрин

Фонтан «Самсон, раздирающий пасть льва». 1801
Скульптор М. Козловский
Воссоздан в 1947 В. Симоновым и Н. Михайловым

Фонтан «Нева».
1805
Скульптор
Ф. Щедрин
Воссоздан в 1950
В. Эллоненом

Фонтан «Волхов».
1805
Скульптор
И. Прокофьев
Воссоздан в 1948
И. Крестовским

Пандора. 1801
Скульптор
Ф. Шубин

Актеон. 1801
Скульптор
И. Мартос

Восточная водопадная лестница

Персей. 1801
Скульптор
Ф. Щедрин

Галатея. 1801
Скульптор
Ж.-Д. Рашетт

Вскрытие
захоронения
скульптуры Нижнего
парка. 1944

ЗДЕСЬ ХОДИТЬ
ЗАПРЕЩАЕТСЯ

Нижний парк
Каскад «Шахматная гора»
Архитекторы
М. Земцов,
И. Бланк,
И. Давыдов,
1737—1739
Реставрирован
в 1953—1954

Каскад «Шахматная гора»
Вулкан
Неизвестный итальянский скульптор

Каскад «Шахматная гора»
Фигура дракона.
1738—1739
Скульптор
Г.-К. Оснер
Воссоздана в 1952
А. Гуржием

Фонтан-шутиха «Дубок»
Скульптор
Б.-К. Растрелли, 1735;
фонтанный мастер
Ф. Стрельников, 1802
Воссоздан в 1947 фонтанными мастерами П. В. и П. П. Лаврентьевыми по проекту А. Оля

Фонтан «Чаша»
Архитекторы
Н. Микетти, 1721—1725;
А. Штакеншнейдер, 1854

Фонтан «Солнце»
Архитекторы
Н. Микетти, 1724;
Ю. Фельтен,
И. Яковлев,
1772—1776
Восстановлен в 1957
Авторы проекта
реставрации
Ф. Софронов,
Л. Айзин, А. Гуржий

Фонтан «Пирамида»
Архитекторы
И.-Ф. Браунштейн,
Н. Микетти,
М. Земцов,
1721—1724;
И. Яковлев, 1799
Восстановлен в 1953
фонтанными
мастерами
П. В. Лаврентьевым
и А. Смирновым

Фонтан «Римский»
Архитекторы
И. Бланк,
И. Давыдов,
1738—1739;
Ф.-Б. Растрелли,
1763
Реставрирован в 1949

Фонтан «Данаида»
Архитектор
А. Штакеншнейдер.
1854
Скульптор
И. Витали
с оригинала Х. Рауха

Монплезирский сад
Фонтан «Сноп»
Архитекторы
Н. Микетти,
Ф. Исаков.
1722—1723
Реставрирован в 1952

Дворец
«Монплезир». Весна
1944

Нижний парк
Дворец
«Монплезир»
Архитекторы
И.-Ф. Браунштейн,
Ж.-Б. Леблон,
Н. Микетти,
1714—1723
Реставрирован
в 1959—1965
Автор проекта
реставрации
А. Гессен

Дворец
«Монплезир»
Восточная галерея

Дворец
«Монплезир»
Морской кабинет

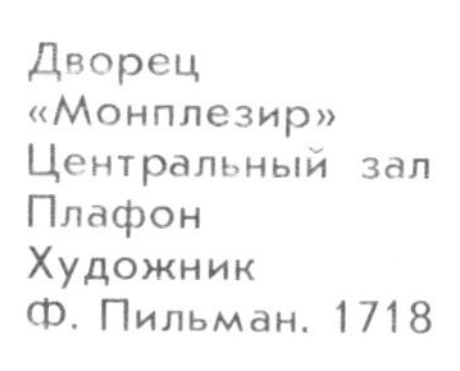

Дворец
«Монплезир»
Центральный зал
Плафон
Художник
Ф. Пильман. 1718

Дворец
«Монплезир»
Центральный зал
Скульптурная
группа «Зима» из
серии «Времена
года»

Дворец
«Монплезир»
Центральный зал

Дворец
«Монплезир»
Лаковый кабинет
Архитектор
И.-Ф. Браунштейн.
1720—1722
Восстановлен в 1959

Дворец «Монплезир» Вид из Центрального зала в Лаковый кабинет

Дворец «Монплезир» Спальня Петра I

Дворец «Монплезир» Кухня

Дворец
«Монплезир»
Морская балюстрада
Амфитрита. Первая
четверть XVIII в.
Неизвестный
итальянский
скульптор

Дворец
«Монплезир»
Екатерининский
корпус
Архитекторы
Ф.-Б. Растрелли,
1747—1748;
Дж. Кваренги,
1785—1786
Восстановлен в 1984
по проекту
Е. Петровой,
В. Вороновой,
Е. Севастьянова

Дворец
«Монплезир»
Екатерининский
корпус
Желтый зал
Архитектор
Дж. Кваренги,
1785—1786

Дворец «Монплезир». Екатерининский корпус
Желтый зал
Предметы Гурьевского сервиза. 1809—1817
Россия, Петербург, Императорский фарфоровый завод
Фарфор

Китайский садик
Фонтан «Раковина»
Архитектор Э. Ган.
1866
Амур и Психея
Копия с античного
оригинала II в.
до н. э. по модели
А. Кановы. Первая
половина XIX в.

Фонтан «Адам»
Скульптор
Дж. Бонацца, 1718;
архитектор
Н. Микетти, 1722
Восстановлен в 1948

Фонтан «Ева»
Скульптор
Дж. Бонацца, 1718;
архитекторы
Н. Микетти,
Т. Усов, 1726
Восстановлен в 1947

Павильон «Эрмитаж»
Архитектор
И.-Ф. Браунштейн.
1721—1725
Реставрирован в 1952
Автор проекта
реставрации
А. Гессен

Павильон «Эрмитаж»
Столовый зал.
Сервировка стола

Павильон «Эрмитаж»
Столовый зал. 1944

Павильон «Эрмитаж»
Столовый зал

Каскад
«Золотая гора»
Архитекторы
Н. Микетти,
1721—1723;
М. Земцов,
1731—1737;
Н. Бенуа, 1870
Реставрирован
в 1946—1948, 1979
Автор проекта
реставрации
В. Савков

Каскад
«Золотая гора»
Нептун. 1860
Неизвестный
итальянский
скульптор

Дворец
«Марли»,
взорванный
фашистами. 1944

Нижний парк
Дворец «Марли»
Архитектор
И.-Ф. Браунштейн.
1720—1723
Восстановлен в 1954
по проекту
Е. Казанской
(фасады), в 1982 по
проекту А. Гессена
(интерьеры)

Дворец «Марли»
Столовая

Дворец «Марли»
Передний зал

Дворец «Марли»
Вид из Кухни
в Буфетную

Адриан ван Олин.
? — 1694
Птицы на дворе

Дворец «Марли»
Дубовый кабинет
Часы солнечные, корабельные. 1716
Англия, Лондон, мастер Д. Роули
Латунь, серебро
Подарок английского короля Георга I Петру I

Дворец «Коттедж»
Архитектор
А. Менелас.
1826—1829
Восстановлен в 1978
по проекту И. Бенуа

Дворец «Коттедж»
Библиотека
Архитектор
А. Менелас.
1826—1829

Дворец «Коттедж»
Гостиная
Часы каминные
«Руанский собор».
1830
Россия, Петербург,
Императорский
фарфоровый завод
Фарфор

Дворец «Коттедж»
Гостиная
Архитектор
А. Менелас.
1826—1829

Дворец «Коттедж»
Столовая
Архитектор
А. Штакеншнейдер.
1842—1843

Дворец «Коттедж»
Мраморная терраса
с фонтаном
Архитектор
А. Штакеншнейдер.
1842—1843

ПУШКИН

Екатерининский дворец

Екатерининский парк

Александровский парк

Лицей

ПУШКИН

Дворцово-парковый ансамбль города Пушкина (в прошлом Царское Село), расположенный в 25 километрах от Ленинграда, не случайно называют энциклопедией русской архитектуры XVIII и XIX столетий. Возникший как парадная резиденция русских императоров, ансамбль дворцов и парков Царского Села складывался и развивался при участии выдающихся зодчих на протяжении более полутора веков. Несмотря на столь длительный срок, в течение которого менялись не только вкусы владельцев резиденции, но и архитектурные стили, несмотря на различие творческих индивидуальностей, возводивших этот грандиозный ансамбль, неповторимый по богатству форм и разнообразию деталей, составляющие его памятники находятся в гармоническом единстве и по праву считаются одним из высших достижений мировой архитектуры.
В самом начале Северной войны (1701—1721) русские войска освободили от шведского владычества Ижорские земли, отторгнутые от России на 86 лет. В донесении графа П. Апраксина об этой победе впервые встречается упоминание о Сарской мызе — так в русской транскрипции звучало финское название этой местности (Саари Мойс — Мыза на возвышенности), где впоследствии суждено было вырасти Царскому Селу.
В 1710 году Петр I подарил Сарскую мызу своей жене Екатерине Алексеевне. С этого времени Сарскую мызу включили в разряд дворцовых земель и начали застраивать.
В 1717—1723 годах по проекту И.-Ф. Браунштейна и Ф. Ферстера здесь возводятся двухэтажные каменные палаты, весьма скромно декорированные; разбивается небольшой регулярный сад. В работе по устройству этого сада участвовал автор проекта планировки Летнего сада в Петербурге Я. Роозен. Воспользовавшись тем, что палаты располагались на вершине пологого холма, он разбил сад на нескольких понижающихся террасах, соединенных между собой лестницами. Поодаль от дворца, на участке естественного леса, устроили Зверинец, где содержались звери для царской охоты. Эта скромная усадьба с садом явилась тем ядром, из которого впоследствии стал развиваться ансамбль дворцов и парков и окружающий их город. Близ мызы на территории будущего города возникла слобода дворцовых служителей, а в 1734 году здесь была заложена каменная Знаменская церковь — старейшее из зданий города. Интересно, что основная композиционная ось ансамбля, намеченная в самых первых постройках, сохранилась при всех последующих переделках.
Восшествие в 1741 году на престол Елизаветы, дочери Петра I, вызвало подъем национального самосознания в России, скинувшей мрачное иго бироновщины.
В искусстве и особенно в архитектуре утвердился приподнято-торжественный и монументальный стиль русского барокко, как нельзя лучше соответствовавший идее возвеличивания могущества государства, и прежде всего абсолютистской власти. Вершиной развития стиля в России стал царскосельский ансамбль. Здесь, как и во многих других архитектурных комплексах в Петербурге и его окрестностях, начались работы по коренному переустройству с целью расширения и художественного обогащения. Ярким отражением этих общих веяний явилась строительная деятельность на территории Царского Села: одни замыслы сменяют другие — еще не достроенные здания переделываются, чтобы достигнуть еще большей монументальности и роскоши. «Дом этот был шесть раз разрушен до основания и вновь отстроен, прежде чем доведен до состояния, в котором находится теперь»,— писала впоследствии Екатерина II, унаследовавшая после смерти Елизаветы вместе с короной и царскосельскую резиденцию.
В 1743 году архитектором М. Земцовым разрабатывается широкая программа реконструкции царскосельского дворцово-паркового ансамбля, предусматривавшая прежде всего возведение по сторонам старых каменных палат двух флигелей, соединенных с основным зданием «галереями на колоннах». Этот проект развили и осуществили талантливые ученики и помощники Земцова А. Квасов и С. Чевакинский. Согласно пожеланию Елизаветы, архитекторы сохранили старые Екатерининские

палаты. Их стены и фундамент были включены в центральный корпус нового дворца как Средний дом. Таким образом, выстроенный дворец протяженностью в триста с лишним метров состоял из Среднего дома, двух боковых флигелей, церкви и Оранжерейного зала, расположенных на одной линии и соединенных четырьмя одноэтажными галереями, на которых размещались висячие сады. Со стороны западного фасада парадный двор охватывали одноэтажные полукруглые служебные флигели — циркумференции.
Однако в мае 1752 года, когда вся отделка дворца была завершена, императрице его вид показался недостаточно пышным и парадным, а помещения — малопригодными

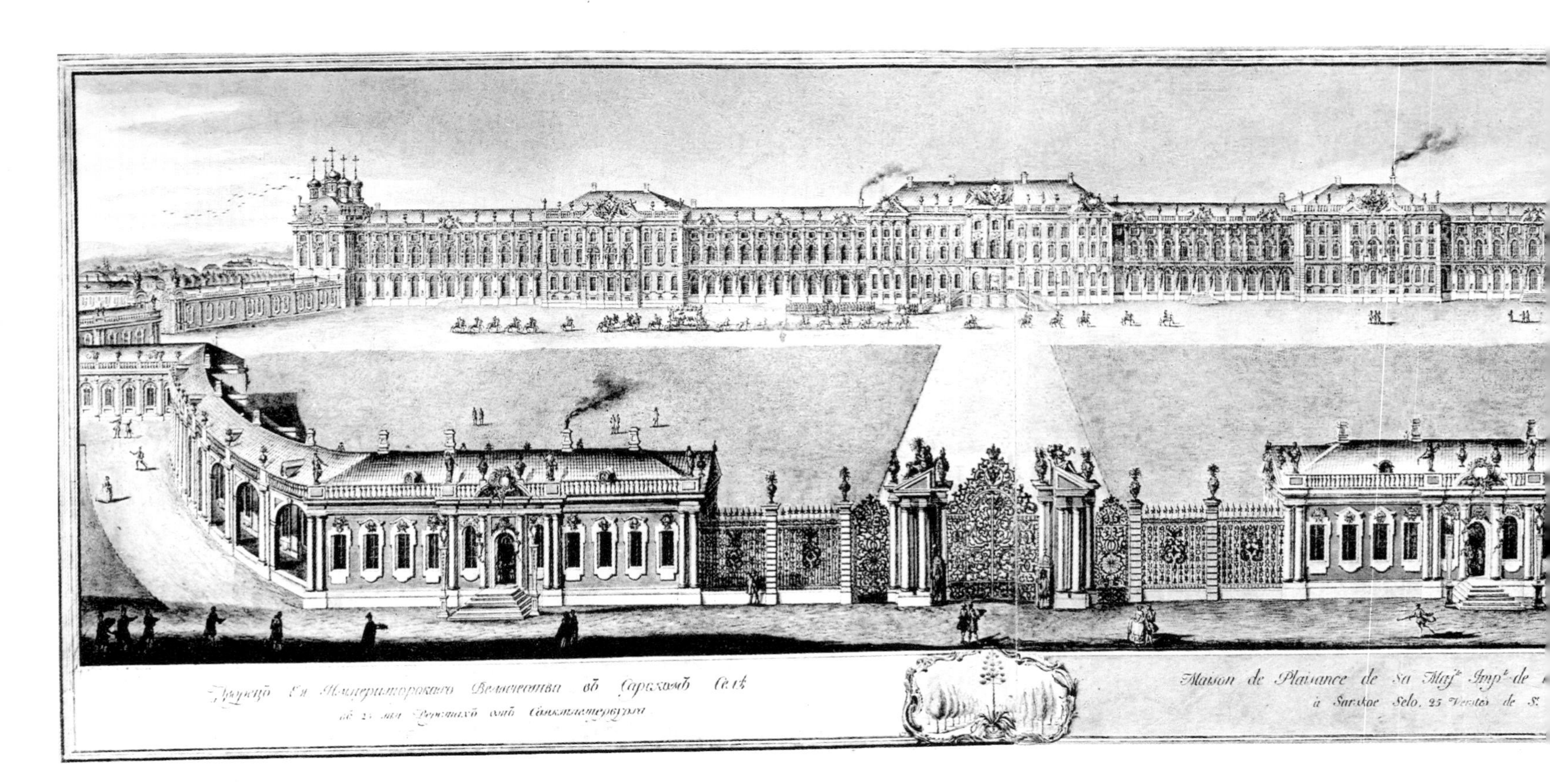

Панорама Большого (Екатерининского) дворца. Гравюра по рисунку М. Махаева. Середина XVIII в.

для многолюдных приемов и празднеств. Согласно ее указу от 10 мая 1752 года, началось переустройство царскосельского ансамбля, порученное Ф.-Б. Растрелли, в то время уже широко известному своими постройками в Москве и Петербурге. Растрелли сохранил общие композиционные принципы ансамбля, определившиеся при его предшественниках, но при этом отдельные корпуса слил в единый массив, надстроил стены, по-иному решил декоративную отделку фасадов. Созданный им дворец буквально ослеплял современников пышностью и блеском декоративного убранства.
Над северным корпусом возвышались пять золоченых глав дворцовой церкви, над южным, где на месте Оранжерейного зала зодчий разместил парадную лестницу,— позолоченный купол со шпилем. Со стороны парадного двора Растрелли заново оформил фасады циркумференций, приведя их в соответствие с декором дворца, а также замкнул парадный двор изящной кованой решеткой с воротами, изготовленной по его проекту на Сестрорецком оружейном заводе.
Наиболее сильное впечатление дворец производил со стороны парадного двора: гигантская протяженность фасада, игра света и тени в его живописных изломах, ритмический строй белоснежных колонн и пилястр на фоне лазоревых стен, затейливые наличники окон, яркая позолота скульптурного убранства и резных украшений — во всем ощущался безупречный пластический дар зодчего. К числу наиболее выразительных украшений фасадов дворца относились фигуры атлантов: 60 «больших» поддерживали колонны верхнего этажа и 38 «малых» — арочные завершения балконных окон-дверей. В пластической декорации фасадов главенствующая роль принадлежала скульптуре. Огромные по объему лепные работы производились по моделям скульптора И. Дункера группой мастеров во главе с Г. Макаровым и были закончены в 1755 году. Впечатление блеска и роскоши

дополняли недошедшие до нашего времени золоченые деревянные скульптуры и вазы, установленные на балюстраде кровли.
Щедрой позолоте архитектурных и скульптурных деталей фасадов дворца вторило обилие золота и в его интерьерах. Известно, что на отделку дворца было затрачено более шести пудов (100 килограммов) золота. Роскошно отделанные парадные помещения бельэтажа Растрелли расположил, согласно существовавшей традиции, анфиладой. Такой прием, использовавшийся во многих парадных резиденциях как наиболее торжественный, все же не имел аналогий: только в Екатерининском дворце протяженность созданной Растрелли анфилады равнялась всей длине здания

Арабесковый зал
Акварель Э. Гау.
Середина XIX в.

и составляла свыше трехсот метров (от Парадной лестницы до Церковного корпуса).
Созданную Растрелли анфиладу парадных залов еще его современники прозвали Золотой: не только стены, но и двери ее залов были украшены сложной золоченой резьбой. Перспектива резных золоченых порталов, начинавшаяся с пяти Антикамер — залов для ожидания, расположенных между Парадной лестницей и главным помещением дворца — Большим залом, производила впечатление уходящего вдаль золотого коридора. Это великолепие как бы подготавливало зрителя к восприятию Большого зала, декор которого просто ошеломлял. Огромное помещение площадью 846 квадратных метров, казалось, не имело стен: обилие света, льющегося с двух сторон через огромные двухъярусные окна, отражалось в многочисленных зеркалах, установленных в простенках между окнами друг против друга. В этом море света сверкала и переливалась позолота, в которой декоративная фантазия Растрелли достигла наивысшей изощренности. Сплошным потоком струилась она вокруг зеркал, окон и дверей, то в виде сочных объемных фигур и завитков, то переходя в тонкий, почти плоский орнамент. Иллюзию бесконечно раздвинутого пространства усиливал плафон «Триумф России», созданный «профессором перспективы» Дж. Валериани совместно с А. Перезинотти.
Все бесконечное разнообразие орнаментов и фигур для декорации Большого зала выполнил по рисункам Растрелли скульптор И. Дункер. История сохранила для нас и фамилии русских мастеровых, резчиков-«фигуристов» XVIII века П. Валюхина и И. Сухова. Растрелли отказался от применения более дешевого способа декорации — позолоченной лепнины или гипсовых отливок. Он ценил именно резные изделия, где каждая деталь, обработанная вручную, обретала неповторимость. Роспись и резьба были главными средствами, широко использовавшимися зодчим в декоративном оформлении дворца, но ему удалось счастливо избежать монотонности

и однообразия в отделке бесчисленных апартаментов. Варьируя размеры помещений, усиливая или ослабляя значение резьбы в их оформлении, Растрелли одновременно искал и новые декоративные средства. Так, в Малиновой столбовой он подложил под стекло, покрывавшее поверхность пилястров (столбов), малиновую фольгу, а в Зеленой столбовой — зеленую. В оформлении Картинного зала основной декоративный эффект достигался сплошной облицовкой стен живописными полотнами. В их числе произведения Л. Джордано, Э. де Витте, А. ван Остаде, Д. Тенирса — мастеров ведущих европейских школ середины XVIII века.
В оформлении стен зала резьба сведена до минимума: это тонкий золоченый багет, окантовывающий полотна, и невысокие деревянные пристенные панели. Но обрамления четырех дверей зала по праву считались самыми нарядными во всей анфиладе. Они были решены как пышные порталы, где объемные скульптурные кариатиды поддерживали десюдепорты с изображением Минервы и амуров в окружении растительных мотивов.
В отделке Китайского зала Растрелли широко использовал фарфор китайского и японского производства, разместив на кронштейнах и подставках полихромные вазы, блюда и статуэтки.
К наиболее эффектным помещениям, созданным архитектором, относилась Янтарная комната, стены которой украшали мозаичные янтарные панно. Подаренные в 1717 году Петру I прусским королем Фридрихом Вильгельмом I, они были изготовлены в 1709 году в Пруссии по проекту А. Шлютера и предназначались для королевского дворца в Шарлоттенбурге. В Петербурге они некоторое время украшали одно из помещений Третьего Зимнего дворца.
В 1755 году панно были перенесены солдатами на руках из Петербурга в Царское Село. Но для облицовки отведенного им зала панно оказались малы. Растрелли нашел остроумный выход: между янтарными панно он поместил 24 узких зеркальных пилястра в резном обрамлении, а верхнюю часть стен затянул холстом, расписанным «под вид янтаря», и декорировал резным орнаментом и фигурками амуров с вазами. Художественный эффект Янтарной комнаты строился не только на искусно подобранных оттенках «солнечного камня» — лимонного, оливково-желтого, коричневого, вишневого, но и за счет сочетания полированной глади панно и украшавшего их рельефа в виде разнообразных объемных деталей из янтаря: скульптурных головок, раковин, цветов, рамок, в которые Растрелли включил четыре мозаичные картины из разноцветных яшм — аллегории пяти чувств человека. Дополняли декор зала плафон «Мудрость, охраняющая Юность от соблазнов Любви», выполненный венецианским художником Ф. Фонтебассо, и узорный паркет.
Завершал Золотую анфиладу высокий, в два этажа, Церковный зал, где главенствующее место также занимали золоченая резьба и живопись, особенно помпезно выглядевшие на насыщенном синем фоне стен. Главным украшением церкви стал шестиярусный иконостас сложной архитектурной формы. К окончанию постройки, в 1756 году, в главном корпусе дворца насчитывалось сорок парадных покоев и свыше ста жилых и вспомогательных помещений.
В 1740—1750-е годы основной задачей паркостроителей, работавших в Царском Селе, стала реконструкция Старого сада (позднее названного Екатерининским парком). Его преобразование, начатое еще М. Земцовым, заложившим в 1744 году на границе сада павильон «Эрмитаж», и продолженное С. Чевакинским, было с блеском завершено Растрелли. Расширив территорию Старого сада — он стал равен по ширине дворцу,— Растрелли сохранил его регулярный характер, но придал саду более парадный вид.
Прямые линии параллельных, перпендикулярных или звездообразно расходящихся аллей пересекали его во всех направлениях. Кусты и деревья, посаженные ровными рядами вдоль аллей, согласно моде того времени, подстригались в виде шаров, кубов, пирамид. Многие декоративные деревья и кустарники были пересажены в царскосельские парки из петербургских садов, а некоторые сорта, такие, как тисс и самшит, приобретались за границей. На верхней террасе у подножия дворца расстилались нарядные партеры, а на нижней сверкали зеркала двух прямоугольных прудов. Для придания ему должного великолепия в Старый сад были перенесены статуи из петербургских садов. Эти скульптуры, выполненные по заказу Петра I известными мастерами венецианской школы П. Бараттой, Дж. Бонаццой, А. Тарсиа, Дж. Зорзони, в образах античной мифологии аллегорически выражали идею славы и могущества Русского государства.
Помимо работ в Старом саду, Растрелли распланировал в ближайшей ко дворцу части Зверинца Верхний, или Новый, сад, ставший впоследствии регулярной частью Александровского парка. Композиционная ось Нового сада совпадала с осью дворца и Старого сада и служила ее продолжением. На этой оси по обе стороны от дворца

располагались два павильона, построенные предшественниками Растрелли: Эрмитаж (архитектор М. Земцов) и Монбижу (архитектор С. Чевакинский). Растрелли заново декорировал их, превратив в роскошные малые дворцы. Яркая бирюзовая окраска стен, обилие лепных и резных украшений этих построек перекликались с декором Большого дворца. Таким образом, Старый сад, дворец и Зверинец оказались связанными в единый, значительный по протяженности и размерам дворцово-парковый комплекс.

Особая роль в композиции ансамбля отводилась Большому пруду. Строительство нового шестикилометрового Виттоловского канала позволило не только углубить и

Янтарная комната
Фотография начала XX в.

расширить Большой пруд, но и создать систему малых прудов у восточной границы парка. Именно на берегах Большого пруда по замыслу Растрелли возникли наиболее репрезентативные парковые сооружения: на северо-восточном берегу — Грот, а на северном — Катальная горка с двумя длинными скатами. Декорацию Грота Растрелли связал со стихией моря, украсив его лепными фигурами мифологических персонажей и морских чудовищ.

Царскосельская резиденция с огромными садами и самыми разнообразными декоративными сооружениями создавалась руками мастеров-умельцев, руками тысяч работных людей. Заказы на изготовление художественных изделий для Царского Села выполняли Сестрорецкий и Тульский оружейные заводы, камнерезные фабрики Урала, многие другие предприятия. Со всех концов России свозились в Царское Село квалифицированные рабочие, каменотесы, резчики, лепщики, позолотчики, живописцы. На строительстве широко использовался труд солдат и крепостных крестьян. Живя в тяжелейших условиях, в палатках и землянках, работая по 12—14 часов, они осушали почву, расчищали лесные заросли, рыли искусственные пруды и каналы. В результате многолетнего труда талантливых русских и зарубежных мастеров в концу 1756 года царскосельская резиденция была отстроена. Отныне Царское Село стало местом официальных приемов русской знати и иностранных послов, которых приводили во дворец «для показания в покоях любопытства достойного украшения».

Однако на рубеже 70—80-х годов XVIII века, когда в художественной культуре Европы возникло течение, возрождавшее античные каноны, пышность растреллиевской архитектуры стала восприниматься как «варварская роскошь». Просветительская философия проповедовала новую эстетику: от безудержной роскоши и вычурности форм — к простоте и рациональности. Чувствительная к новейшим философским и художественным идеям века, Екатерина II, ставшая в 1762 году полновластной

владелицей Царскосельского дворца, пожелала иметь и в своей загородной резиденции строения в «древнем вкусе».
Прежде всего изменение художественного стиля проявилось в садово-парковом искусстве. Вслед за распоряжением о прекращении стрижки деревьев в Старом саду в начале 1770-х годов на территории, прилегающей к Большому дворцу с запада, было осуществлено строительство одного из самых ранних в России пейзажных парков. В этих работах, а также в строительстве нового, 16-километрового Таицкого водовода взамен обветшавшего Виттоловского канала участвовали опытные мастера-паркостроители и инженеры: Т. Ильин, И. Буш, И. Герард, гидравлики Э. Карбонье,

Камеронова галерея
Литография
В. Лангера. 1820

Ф. Бауэр. Автором проекта был В. Неелов. Неелов уделял исключительное внимание устройству в пейзажном парке прудов, каналов, каскадов и в особенности изменению очертаний Большого пруда. Он создал на нем искусственные островки, а берегам пруда, ранее имевшим правильные очертания, придал вид естественного озера.
В парковых постройках, возведенных В. Нееловым и его сыновьями — И. Нееловым и П. Нееловым, посвятившими строительству царскосельского ансамбля всю свою творческую жизнь, нашли отражение классические каноны. Украшением Екатерининского парка стал сооруженный В. Нееловым Мраморный мост. Изготовленный на уральской шлифовальной фабрике из разноцветного сибирского мрамора, декорированный стройной ионической колоннадой, памятник восходит к архитектурному прообразу эпохи итальянского Возрождения — мосту, созданному выдающимся зодчим А. Палладио. Отсюда его второе название — Палладиев мост.
Не менее заметное место в старой части сада занимали и построенные в 1777—1780-х годах по проекту И. Неелова в формах раннего классицизма Верхняя ванна («Мыльня Их Высочеств») и Нижняя ванна («Кавалерская»). Первая предназначалась для царской семьи, вторая — для придворных. Обеим постройкам архитектор придал черты парковых павильонов.
В это же время в разных концах Екатерининского парка и Нового сада возникали затейливые сооружения экзотического вида, с чертами архитектурного стилизаторства. Так, построенная В. Нееловым беседка «Большой каприз», возведенная на высокой насыпи на границе Екатерининского парка, открыла целую группу парковых сооружений в ложнокитайском стиле: Скрипучая беседка, Китайский театр, Китайская деревня, серия Китайских мостов.
Другие постройки В. Неелова — Адмиралтейство, Эрмитажная кухня — стилизованы под английскую готику. Однако все перечисленные павильоны обязательно включали в себя элементы античной классики. В Большом капризе, например, классические

черты соединялись с причудливостью форм китайской архитектуры: восьмигранную с загнутыми краями кровлю беседки, поставленной на облицованную диким камнем арку, поддерживали восемь ионического ордера колонн из розового мрамора.
В течение немногим более одного десятилетия пейзажный парк, созданный В. Нееловым, оказался насыщенным архитектурными памятниками, как правило связанными общностью темы. Победы русского оружия, одержанные во время войны с Турцией (1768—1774), нашли отражение в мемориальных сооружениях, созданных по проектам А. Ринальди (Кагульский обелиск, Морейская колонна, Чесменская колонна) и Ю. Фельтена (Башня-руина).

Агатовые комнаты
Главный зал.
Акварель.
Середина XIX в.

Одновременно со строительством парковых павильонов по приказу Екатерины II осуществлялась новая перестройка Большого (Екатерининского) дворца, который казался императрице недостаточно вместительным. В 1779—1792 годах с северной и южной сторон дворца по проектам Ю. Фельтена и В. Неелова возводятся четырехэтажные флигеля — Церковный и Зубовский. При этом пришлось сломать две Антикамеры и парадную лестницу Растрелли. Перенос главного входа в центр здания исказил не только внешний облик дворца, но и задуманную зодчим Золотую анфиладу.
В 1789—1792 годах И. Неелов возводит обособленный дворцовый флигель («великокняжеский»), связанный с основным зданием перекинутой через дорогу аркой-переходом. Неелов очень тактично включил в барочный дворцовый ансамбль новое здание, решенное в лаконичных формах классицизма. Простота архитектурного решения флигеля, позже отданного царскосельскому Лицею, оттенялась пышностью растреллиевского дворца. Этой постройкой завершилось формирование ансамбля Большого царскосельского дворца.
Отделку новых помещений, образовавшихся в результате реконструкции, поручили архитектору Ч. Камерону, прибывшему в Россию из Англии в 1779 году. Одновременно с ним в Царском Селе работал другой выдающийся архитектор, выходец из Италии, Дж. Кваренги. В 80-е годы XVIII века им были поручены наиболее ответственные строительные работы в Царском Селе. Страстные поклонники древнего греко-римского искусства, видевшие в строгих линиях и прекрасных пропорциях античного зодчества неисчерпаемый источник красоты и вдохновения, они возвели в Царском Селе ряд великолепных построек, вписав блестящие страницы в историю русской архитектуры эпохи зрелого классицизма.
Камероном во дворце были созданы два комплекса интерьеров: в южном крыле — парадные и личные комнаты Екатерины II, в северном — парадные и личные комнаты наследника, Павла Петровича, и его жены Марии Федоровны.

Решенные Камероном дворцовые интерьеры отличали простота и ясность пропорций, спокойный ритм, сдержанная цветовая гамма, строгость декоративных элементов, почерпнутых в арсенале классического искусства. Основными средствами декораций служили лепка и роспись. Так, стены Арабескового зала, открывавшего парадные апартаменты Екатерины II, были украшены рельефами в духе античности, а потолок и двери расписаны арабесками. В отделку Лионского зала, получившего свое название от шелковых обоев, вытканных во Франции, Камерон вводит лазурит (ляпис-лазурь), привезенный с берегов Байкала; двери и паркет, набранные из драгоценных пород дерева, инкрустирует перламутром, создав настоящее ювелирное изделие.

Беседка «Большой каприз»
Литография
В. Лангера.
1820

Наряду с цветным камнем Камерон использовал и цветное стекло, не уступавшее самоцветам по своим декоративным возможностям. Стекло молочного цвета, синее и темно-лиловое нашло применение в отделке двух смежных помещений — Опочивальни Екатерины II и Синего кабинета, названного за свои миниатюрные размеры Табакеркой. В Опочивальне Павла Петровича Камерон заменил стекло фаянсом, из которого изготовили 50 тонких колонок, отделявших альков, и включил в оформление помещения лепные медальоны аллегорического содержания, выполненные И. Мартосом.
Этому же скульптору принадлежал лепной декор Зеленой столовой, выполненный по мотивам помпеянской фресковой живописи I в. н. э. Здесь художественный эффект достигался без применения дорогостоящих материалов, а за счет изысканного сочетания нежного, «фарфорового» тона стен и белых рельефов тончайшей работы. Стены залов, созданных в северной части дворца,— Голубой гостиной и Китайской голубой гостиной — были затянуты шелком.
Однако полностью талант Камерона, не только как архитектора-декоратора, но и как замечательного зодчего, раскрылся в созданном им в 1780-х годах комплексе сооружений, получивших название «Термы Камерона». Он включал в себя Холодную баню с Агатовыми комнатами, прогулочную галерею-колоннаду с монументальной лестницей и пандусом и висячий сад. Ансамбль Камерона был навеян античной архитектурой, и в первую очередь римскими термами: идея следования античному образцу читалась не только во внешнем оформлении, но и в решении плана. Тем не менее комплекс Холодной бани продемонстрировал полную самостоятельность зодчего в его пространственно-пластическом решении и художественный такт, с которым Камерон включил свое произведение в уже существовавший ансамбль. Основной акцент был сделан Камероном на отделке парадных помещений терм — комнат для отдыха в верхнем этаже: Главного зала и двух кабинетов — Яшмового

и Агатового, где зодчий использовал мрамор и порфир, различные сорта уральской и алтайской яшмы. Именно по использованию в отделке уральской яшмы, один из видов которой в XVIII веке называли агатом, весь комплекс стали называть Агатовыми комнатами.

Работы другого выдающегося мастера — Дж. Кваренги в Большом дворце были менее масштабны: он разработал проекты отделки двух комнат императрицы — Зеркального и Серебряного кабинетов, причем в последнем изменил отделку, созданную Камероном. Однако вклад Кваренги в строительство царскосельских ансамблей весьма значителен. Ему принадлежит проект одного из самых совершенных

Лицей. Рисунок А. С. Пушкина на рукописи VIII главы романа «Евгений Онегин». 1829—1830

по композиционному замыслу парковых сооружений русского классицизма — Концертного зала, романтического павильона «Кухня-руина». Главным же произведением Кваренги в Царском Селе стал дворец, возведенный для старшего внука Екатерины II — Александра и названный впоследствии Александровским (строительство начато в 1792 году). Вскоре Александровский дворец оказался в центре нового паркового района: в первой четверти XIX века регулярный Новый сад вошел в обширный комплекс Александровского парка. Ведущие архитекторы этого периода — В. Стасов и А. Менелас.

Первой работой В. Стасова в Царском Селе стало переоборудование «великокняжеского» флигеля для вновь создаваемого учебного заведения — Лицея. Сохранив внешний вид флигеля, Стасов произвел перепланировку внутренних помещений, разместив на четвертом этаже комнаты воспитанников, а на третьем — Актовый зал, занимавший всю ширину здания, украшенный колоннами дорического ордера и росписью арочных проемов и стен в виде атрибутов воинской доблести. В Актовом зале в присутствии престарелого Державина читал юный Пушкин, воспитанник Лицея, «Воспоминания в Царском Селе».

После пожара 1820 года В. Стасову пришлось восстанавливать отделку ряда помещений в Екатерининском дворце. Причем некоторые интерьеры архитектор оформил заново в стиле позднего классицизма. Наиболее цельным художественным решением отличался Парадный (Мраморный) кабинет Александра I, отделанный искусственным мрамором. В декорации кабинета широко использовалась роспись в виде воинских доспехов. Эти любимые зодчим мотивы воинской славы, как бы напоминавшие о недавнем победоносном завершении войны с Наполеоном, использованы архитектором и в триумфальных воротах «Любезным моим сослуживцам», сооруженных на юго-восточной окраине Екатерининского парка. В них сказалось присущее Стасову тяготение к суровым и лаконичным формам.

Иным, романтическим настроением были проникнуты парковые постройки А. Менеласа в Александровском парке — Шапель, Белая башня, Арсенал, построенный на месте разобранного павильона «Монбижу». Во всех этих сооружениях преобладали формы неоготики.

Строительная деятельность второй половины XIX века не внесла существенных изменений в планировку и границы Екатерининского и Александровского парков и не оставила в царскосельском ансамбле построек высокой художественной ценности. Исключение составлял открытый в 1900 году памятник А. Пушкину в Лицейском садике работы скульптора Р. Баха.

После Великой Октябрьской социалистической революции царскосельские дворцы и парки декретом Советского правительства были объявлены собственностью народа. Летом 1918 года в Екатерининском и Александровском дворцах были открыты музеи. Дворцы-музеи развернули массовую культурно-просветительскую и исследовательскую работу. В преобразовании бывшей царской резиденции в музейный комплекс принимала участие Художественно-историческая комиссия во главе с А. Луначарским. В бывших великосветских особняках и дачах Царского Села разместились многочисленные детские оздоровительные учреждения. Город переименовывается в 1918 году в Детское Село, а в 1937 году, в столетнюю годовщину гибели А. Пушкина, Детскому Селу присваивается имя великого поэта.

...В воскресный день 22 июня 1941 года в многолюдных парках города Пушкина разнеслась весть о нападении фашистской Германии на Советский Союз. В этот же день развернулись работы по укрытию и эвакуации художественных коллекций дворцов-музеев. В течение двух месяцев в условиях приближавшегося фронта работники музея самоотверженно спасали сокровища дворцов и парков. Последний эшелон прорвался сквозь вражеские заслоны 23 августа 1941 года. Всего было вывезено 17 599 предметов: мебель, фарфор, ковры, бронза, люстры, картины, обивочные ткани, а кроме того — обширная научная документация.

Часть ценностей укрыли на месте: в подвалы перенесли дворцовую скульптуру, оставшуюся мебель, 5 тысяч различных бытовых предметов, свыше 600 предметов художественного фарфора, 35 тысяч томов из дворцовых библиотек. Были приняты меры к сохранению отделки интерьеров: окна в залах зашили толстыми досками, наборные паркеты закрыли ковровыми дорожками и засыпали слоем песка; стены Янтарной комнаты и стеклянную облицовку Опочивальни Екатерины II оклеили папиросной бумагой и тканью; укрыли в земле парковую скульптуру и памятник А. Пушкину.

С 13 сентября началась непрерывная бомбежка города Пушкина, в течение двух следующих дней она сопровождалась артобстрелами. Снарядами были разрушены Малая столовая и кабинет Александра I, повреждена золоченая обшивка одной из глав дворцовой церкви. 16 сентября ночью вспыхнуло яркое зарево пожара над Александровским парком: от минометного огня загорелся Китайский театр. «Пушкина уже нет... Я стояла и смотрела, как горит то, что я хранила,— писала бывшая в то время хранителем Екатерининского парка Е. Турова.— Все это было как во сне, когда хочешь кричать и нет голоса, хочешь бежать, а ноги налиты свинцом. Я медленно пошла прочь. Что должен делать хранитель, когда все рушится?..»

17 сентября в город вступили фашистские войска. Двадцать восемь месяцев продолжалась оккупация. Двадцать восемь месяцев гитлеровцы, озлобленные ожесточенным сопротивлением советских войск на подступах к Ленинграду, методично и варварски уничтожали сокровищницу русского искусства. Павильон «Эрмитаж» и часть залов Екатерининского дворца были переоборудованы в казармы, в дворцовой церкви устроен гараж, в Александровском дворце расположился штаб гитлеровских воинских частей, гестапо и тюрьма, на первом этаже Камероновой галереи — конюшня и кузница, в Агатовых комнатах — офицерский клуб и казино. Парковые павильоны гитлеровцы превратили в огневые точки, а сами парки были изрыты траншеями и блиндажами, опутаны колючей проволокой. Около Александровского дворца, прямо у парадного фасада, находилось эсэсовское кладбище.

С первых дней оккупации началось разграбление захватчиками всего оставшегося убранства дворцов: горела в печах дворцовая мебель, паркеты и книги, сдиралась шелковая обивка стен, снимались или разбивались зеркала, вырезались куски плафонов и вместе с фарфором и бронзовыми украшениями отправлялись посылками в Германию.

Все наиболее ценное проходило сначала через руки специальных формирований — батальонов и комиссий особого назначения, в функции которых входило изымать в оккупированных районах России дворцовое имущество, картинные галереи, библиотеки, антиквариат, исторические ценности, архивные документы и перевозить в Германию. Подобным образом фашисты действовали и на оккупированной

территории других стран, так как разграбление художественных и исторических ценностей являлось частью плана, имевшего конечной целью ликвидацию их национальных культур.
Были вывезены уникальные паркеты Лионского зала, живописные плафоны павильона «Эрмитаж», статуи «Геркулес» и «Флора» с лестницы Камероновой галереи, панели Янтарной комнаты, следы которой оборвались в Кёнигсберге в апреле 1945 года — за три дня до освобождения города советскими войсками. Всего гитлеровцами расхищено или полностью уничтожено 42 308 музейных предметов из коллекций Екатерининского и Александровского дворцов-музеев. От пожаров погибли Золотая

Екатерининский дворец
Парадная лестница. 1944

Екатерининский дворец
Парадная столовая. 1948

Екатерининский дворец
Строительные леса в Большом зале. 1946

анфилада Растрелли, интерьеры Камерона, Стасова, лепной фриз Голубой гостиной работы В. Демут-Малиновского, ляпис-лазурное обрамление дверей и карнизов Лионского зала, росписи крупнейших живописцев Дж.-Б. Скотти, Б. Медичи, И. Бернаскони; от обстрелов обрушились перекрытия Большого зала.
24 января 1944 года город Пушкин был освобожден в результате генерального наступления войск Ленинградского фронта. Перед уходом фашистские варвары уничтожали все, что еще не успели разрушить и разграбить. В подвалы Екатерининского дворца они заложили 11 тысячекилограммовых бомб замедленного действия, заминировали парк и павильоны. Но стремительное наступление советских войск не дало им привести в исполнение свой чудовищный замысел.
Страшную картину разрушения представлял собой Екатерининский дворец, превращенный в обгоревшие руины: лишь в 16 из 55 помещений сохранилась внутренняя отделка. На месте многих павильонов остались груды дымящихся развалин: 4 из них были разрушены полностью, а 21 получил серьезные повреждения. Во всех парках Пушкина было уничтожено и повреждено 94 процента зеленого массива, в результате полного разрушения системы водоснабжения заболочено 18 гектаров парковой территории и все каналы, разрушено 25 мостов, около 50 плотин, дамб и каскадов.
В числе многих частей и подразделений, освобождавших Пушкин, был и 267-й отдельный пулеметно-артиллерийский батальон. Командир одной из рот этого батальона, ленинградец Н. Прохоров писал в своих воспоминаниях: «24 января 1944 года в 4 часа 30 минут наша пулеметно-артиллерийская рота вышла на окраину Пушкина. Бойцы-ленинградцы, многократно бывавшие в городе Пушкине, не верили своим глазам. Сердце холодело при виде разрушений, причиненных ему фашистскими варварами. Дома были превращены в руины, развалины. Вокруг полыхали пожары, торчали пни там, где некогда шумели кронами вековые деревья пушкинских парков. Город был мертв...

Еще издали мы увидели страшный, изувеченный остов Екатерининского дворца. Вместо позолоченного купола церкви была видна лишь одна обрешетка на стропилах. Центральная часть дворца — без крыши, окна и двери разбиты, прекрасные лепные фигуры, украшавшие фасад здания, изуродованы... Через пролом в стене проникаем во дворцовую церковь. Зал заполнен разбитыми мотоциклами... Пол залит мазутом... Паркет из дорогих пород дерева выдран, порублен. Стекла и рамы разбиты, в зале гуляет ветер. Позолоченные орнаментальные детали и скульптурные фигуры изувечены, полностью разрушен иконостас... Груды лома и остатки раздробленных барельефов, засыпанные снегом, завалы из досок и бревен, проломы в полу...»

Консервация фрагментов отделки в Третьей Антикамере

Хранилище фрагментов резьбы

Согласно акту Чрезвычайной государственной комиссии по установлению и расследованию злодеяний немецко-фашистских захватчиков общая сумма ущерба, причиненного дворцово-парковым ансамблям Пушкина, исчислялась в 4 миллиарда 777 миллионов рублей.

Еще шла война, а в освобожденном Пушкине приступили к расчистке парков и водоемов, к раскопке и установке парковой скульптуры. Особенно тяжелым и кропотливым трудом был сбор сохранившихся фрагментов отделки. Обломки золоченой резьбы, осколки скульптуры, обрывки декоративных тканей, куски живописных полотен идентифицировались и систематизировались как бесценный материал для последующей реставрации.

Одновременно шла консервация архитектурных сооружений, и прежде всего Екатерининского дворца. В 1945 году был создан специальный участок Ленинградского строительного управления, в задачу которого входило сооружение временной кровли над дворцом и ликвидация разрушений стен, чтобы предохранить здание от гибели. К 1949 году работы по консервации дворца были закончены.

В 1945 году принял первых посетителей Екатерининский парк, в 1946-м — Александровский. Вновь занял свое место в Лицейском садике памятник А. Пушкину.

А в 1949 году, когда торжественно отмечалось 150-летие со дня рождения поэта, открылся воссозданный интерьер Актового зала Лицея, утраченный еще в середине XIX века. В это же время начали прибывать из эвакуации музейные коллекции.

В 1947 году были возвращены из Германии похищенный паркет Лионского зала и бронзовые статуи «Геркулес» и «Флора». Много музейных ценностей, брошенных фашистами при отступлении, удалось обнаружить в окрестностях Пушкина.

В конце 1940-х — начале 1950-х годов реставрируется ряд парковых павильонов и мемориальных сооружений, полностью разрушенных или частично поврежденных фашистами: Морейская и Чесменская колонны, Кагульский обелиск, Верхняя ванна; восстанавливается внешний облик Эрмитажа, Турецкой бани, Скрипучей беседки.

Можно без преувеличения сказать, что ленинградские реставраторы, мастера разных специальностей, строители, инженеры, скульпторы совершили подлинное чудо: реконструируя или восстанавливая целое по отдельным уцелевшим фрагментам, они подняли из руин и вернули к жизни многое из того, что казалось безвозвратно утраченным. Причем реставрация имела целью не только восстановление довоенного облика зданий — в ряде случаев расчищались от искажающих переделок, возрождались первоначальные авторские замыслы.

Пример полного возрождения представляет собой павильон «Верхняя ванна». После войны от него оставались только стены с чудом уцелевшими остатками двух

Установка металлических ферм на кровле Екатерининского дворца с помощью вертолета. 1959

живописных композиций. По старым чертежам и довоенным фотографиям под руководством архитектора С. Новопольского восстановлены фасады здания. На основе двух сохранившихся фрагментов живописи, а также тщательного изучения архивных материалов группа художников-реставраторов во главе с А. Трескиным сумела возродить творение русского художника-монументалиста А. Бельского, использовавшего в этой своей работе мотивы декорации Золотого дома римского императора Нерона.

Реставрация интерьера «Зала на острову» выявила под позднейшими наслоениями роспись, относящуюся ко времени отделки сооружения Ч. Камероном. Это позволило провести реставрацию Зала в гораздо более ранней и ценной интерпретации.

Сложной и кропотливой была работа по реставрации Чесменской колонны — триумфального сооружения в честь побед русского флота в русско-турецкой войне. В годы фашистской оккупации памятник сильно пострадал. На Карельский перешеек отправилась специальная экспедиция, чтобы найти в давно заброшенных каменоломнях серый олонецкий мрамор, необходимый для реставрационных работ.

Нередко по ходу реставрационных работ вырабатывалась новая технология или возрождалась старая, как, например, это было при реставрации лепного декора павильона «Эрмитаж»: бригада лепщиков И. Калугина освоила применявшийся в XVIII веке способ намазной лепки *, расширив тем самым арсенал средств и приемов современной реставрационной техники. Огромных усилий потребовало возрождение тяжело пострадавшего паркового массива, где были высажены тысячи молодых деревьев различных пород.

Наконец в 1957 году наступила очередь Большого дворца. Стоявший до сих пор под временной кровлей, с заделанными кирпичом пробоинами и провалами стен,

* Лепка ручным способом, с постепенным нанесением массы слой за слоем, в отличие от отливки в формы.

Екатерининский дворец
Анфилада парадных залов. 1930-е

Екатерининский дворец
Анфилада парадных залов. 1944

Екатерининский дворец
Анфилада парадных залов. 1980-е

он был возрожден с максимальным приближением к своему первоначальному внешнему облику: с балюстрадой, парадным крыльцом со стороны двора, с гербом на Среднем доме. Проектные и восстановительные работы проводились Специальными научно-реставрационными производственными мастерскими и трестом «Фасадремстрой». Автор проекта — архитектор А. Кедринский.
В июне 1959 года над Большим залом производилась замена деревянных стропильных ферм металлическими. Впервые в отечественной практике для этой цели использовался вертолет. Уникальной стала и операция по восстановлению куполов дворцовой церкви, которые вместе с оформляющими их скульптурно-

Воссоздание плафона Большого зала бригадой художников под руководством Я. Казакова. 1970-е

Художник-резчик А. Кочуев за воссозданием резной скульптуры

декоративными деталями — херувимами, гирляндами, вазами — были буквально изрешечены снарядами и осколками. В работе принимали участие слесари и чеканщики, кузнецы и литейщики и, наконец, позолотчики во главе с К. Мауричевым. Восстановление такого сложного, стилистически неоднородного ансамбля, включавшего произведения различных архитекторов, претерпевшего значительные изменения за два столетия своего существования, потребовало переоценить все дошедшее до нас, чтобы выявить и возродить все лучшее, изъять искажающие облик памятника позднейшие переделки и перестройки. Выполнение этой ответственной задачи стало возможным благодаря совместным усилиям историков, искусствоведов, архитекторов, музейных работников.
В 1958 году во дворце открылась первая выставка из музейных фондов. Она, по существу, явилась началом возрождения дворца-музея. А в 1959 году распахнули двери первые реставрированные залы Екатерининского дворца: Предхорная, Предцерковный зал, Зеленая столовая, Официантская, Голубая гостиная, которые вместе с помещениями церкви, где к тому времени закончились работы по консервации, вошли в состав действующего музея. Во время Великой Отечественной войны отделка этих комнат не сгорела, как в большинстве других помещений дворца, а была разграблена или повреждена. С этих, «наиболее сохранившихся» помещений и началась реставрация дворцовых интерьеров. В Зеленой столовой дополнен и частично воссоздан скульптурный декор, выполненный И. Мартосом (реставраторы — скульпторы Г. Михайлова и Э. Масленников). Бережно отреставрирована роспись на единственной сохранившейся дверной створке, а затем повторена на сделанных заново дверях.
При восстановлении плафонов Голубой гостиной и Китайской голубой гостиной удалось найти подлинные эскизы плафонов, выполненные Ч. Камероном и хранившиеся в Государственном Эрмитаже. Они были воссозданы группой художников под руководством О. Педаяса. Шелк для обивки стен Голубой гостиной изготовили

на московском текстильном комбинате «Красная Роза» по образцу, взятому с сохранившейся в эвакуации мебели из этого зала.
В Китайской голубой гостиной сложнейшую реставрационную задачу решила художница Р. Слепушкина, воссоздавшая всю многофигурную расписную обивку стен по обрывку ткани, найденному над камином. По технике письма было установлено, что первоначальная живопись исполнялась русскими мастерами по китайским образцам. Пользуясь довоенными фотографиями и образцами аналогичных шелков из других дворцовых собраний, художница восстановила рисунок всей композиции, а затем, применяя современные темперные краски, разработала технологию

Восстановление паркета Яшмового кабинета в павильоне «Агатовые комнаты»

Реставрационные работы в Екатерининском дворце
Скульптор Л. Швецкая. 1983

письма по ткани, полностью соответствующую манере и колориту подлинника.
В Предхорной при реставрации зала использован подлинный шелк ручной работы XVIII века, сохранившийся в эвакуации.
В 1961—1963 годах открылась для посетителей еще одна группа залов — Камерюнгферская, Опочивальня, Скульптурный и Живописный кабинеты, Парадная лестница. Наибольшую сложность представляло восстановление фаянсовых, покрытых росписью и позолотой витых колонок алькова Опочивальни. Все они были разбиты, часть деталей утрачена. Примененный лепщиком-модельщиком Э. Родновым и художником А. Бобылевым новый метод реставрации художественной керамики с помощью полимерных пленок нашел в дальнейшем широчайшее применение при реставрационных работах такого рода, в частности при восстановлении изразцов декоративных печей Кавалерской столовой и Картинного зала, где отдельные фрагменты были собраны в целые плитки в количестве, достаточном для воссоздания полностью одной из печей, а недостающие — выполнены заново.
Открывшийся в 1967 году Картинный зал стал первым исключительно сложным, уникальным объектом, потребовавшим напряжения всех сил, так как от успешного завершения работ в нем зависела дальнейшая судьба всей Золотой анфилады Растрелли. После освобождения города Пушкина Картинный зал представлял собой голые кирпичные стены, провалы на месте пола и потолка, висящие в воздухе, чудом уцелевшие каркасы декоративных печей. 111 полотен из шпалерной развески этого зала удалось спасти в эвакуации, и все они вернулись на свои места. Для 16 погибших картин нашли близкие по стилю замены из запасников Государственного Эрмитажа и других музеев страны.
При изучении архивных документов выяснилось, что плафон «Пир богов на Олимпе» художника Г. Дицциани, некогда украшавший Картинный зал, был еще в XVIII веке перевезен в Петербург в Эрмитаж и в 1837 году (после пожара в Зимнем дворце) использован для восстановления Иорданской лестницы. Бригада художников

во главе с Я. Казаковым сделала копию с подлинного плафона и установила его в Картинном зале.
Наиболее сложные в художественном отношении работы выполнили резчики по дереву, возродившие резные десюдепорты, зеркальные рамы и панели. Мастера-реставраторы не только в совершенстве овладели методом резного декора середины XVIII века, где каждый завиток орнамента, каждая фигура были отмечены чертами индивидуальности, но и освоили давно забытые приемы резьбы по левкасу и секрет золочения, позволявшего варьировать блеск и фактуру золота. Открытие возрожденного Картинного зала стало подарком реставраторов к 50-летию Великой Октябрьской социалистической революции.
Опыт, накопленный при воссоздании Картинного зала, позволил сравнительно быстро разрешить задачу возрождения резьбы в Кавалерской столовой. Во время Великой Отечественной войны этот интерьер также был полностью уничтожен. Открытие в 1969 году для обозрения Кавалерской столовой приблизило реставраторов к Большому залу. Объем реставрационных работ, проведенных в этом, самом обширном помещении Екатерининского дворца, беспрецедентен. Снаряды, попавшие в кровлю Большого зала, обрушили перекрытия и часть стены паркового фасада. Вместе с перекрытиями погибла и большая часть плафона, выполненного в 60-е годы XIX века. Остатки уцелевших зеркал и множество золоченых фигур были растащены и исковерканы фашистами. Погиб почти весь паркет.
Сохранились лишь фрагменты паркетных щитов с образцами геометрического рисунка. Они и послужили основой для восстановления паркета в Большом зале. Здесь, как и в других залах Золотой анфилады, работала бригада паркетчиков Е. Кудряшова. Паркет выполнялся из ценных отечественных пород дерева, а в ряде случаев — из приобретенных за границей.
Из документов явствовало, что первоначальный плафон Большого зала писался по эскизам выдающегося художника-декоратора Дж. Валериани, но он исчез в конце XVIII века. Боковые части плафона были обнаружены в Ленинграде в Инженерном замке, а центральная композиция «Триумф России» — воссоздана художниками под руководством Я. Казакова. Площадь выполненной живописцами-реставраторами утраченной части плафона, имеющей сложное перспективное построение,— 860 квадратных метров.
Наиболее трудоемким процессом стало возрождение уникальной резьбы Большого зала. В подготовительный период реставраторами были изучены все документальные материалы, вся аналогичная пластика в других дворцах. Кропотливо и тщательно производились расчистка, склейка и дополнение утрат подлинными сохранившимися деталями и осколками. Каждый сохранившийся фрагмент закопченной, потрескавшейся резьбы нашел в результате этой ювелирной работы свое прежнее место. Недостающие части долепливались. По лепным моделям производилось восполнение погибших деталей в дереве. Затем композиции монтировались, покрывались позолотой. Десятилетний творческий труд принес блестящие результаты: в золотом плетении, покрывающем стены Большого зала, работы советских мастеров невозможно отличить от произведений мастеров XVIII века.
Из года в год осуществляется планомерное возрождение разрушенных интерьеров Екатерининского дворца. Сейчас их восстановлено 23. С начала семидесятых годов восстанавливаются парадные залы Золотой анфилады дворца. В настоящее время работы ведутся в северной от центральной лестницы группе залов. При реставрации сохранена прежняя планировка: за Парадной столовой следуют две гостиные — Малиновая и Зеленая столбовые, Портретный зал. Живописные плафоны в этих интерьерах, а также на Парадной лестнице пришлось создавать заново. Исследователи пользовались при этом довоенными фотографиями, архивными источниками, аналогиями. Сейчас здесь представлены в качестве плафонов и живописных вставок работы художников итальянской и русской школ XVII—XVIII веков, выполненные на сюжеты античной мифологии. Картины отбирались из спасенных фондов Екатерининского дворца и других музеев Ленинграда. Завершается воссоздание резьбы в Парадной столовой, в Малиновой и Зеленой столбовых, в Портретном зале. Во всех этих залах стены затянуты белым штофом, рисунок которого воссоздан в результате научного поиска, изучения произведений западноевропейского шелкоткацкого искусства XVII—XVIII веков и остатков обивки сохранившейся мебели. Около полутора тысяч квадратных метров декоративной шелковой ткани было изготовлено на специально реконструированных ручных ткацких станках во Всесоюзном научно-реставрационном комбинате в Москве.
Большая часть мебельного убранства дворца сохранилась в эвакуации. Так, удалось спасти 11 кресел, выполненных по эскизам Растрелли для Большого зала. В ряде случаев по сохранившимся образцам приходилось выполнять недостающие предметы

обстановки, например для мебельного гарнитура Парадного кабинета Александра I, изготовленного петербургскими мастерами Ф. Гроссе и Г. Гамбсом по рисункам В. Стасова.
Более 40 лет продолжаются поиски похищенных панно Янтарной комнаты. В 1979 году Совет Министров РСФСР принял решение о возрождении Янтарной комнаты — уникального памятника, утраченного в годы Великой Отечественной войны.
В настоящее время здесь расписан фриз «под янтарь», восстанавливается золоченый резной декор, из ценных пород дерева набран узорный паркет. По эскизу неизвестного художника итальянской школы XVIII века, хранящемуся в Государственном Эрмитаже, художники-реставраторы Я. Казаков и Б. Лебедев исполнили живописный плафон «Свадьба Хроноса». Ведутся подготовительные работы для второго рождения янтарных панно. Уже разгаданы многие секреты мастеров XVIII века, варивших непрозрачный янтарь в меду и масле, после чего в нем выявлялась текстура, или прокаливавших прозрачный, что значительно расширяло его палитру.
В ближайшие годы будет завершена реставрация залов Золотой анфилады — Китайской гостиной, Буфетной, Белого зала — и начато восстановление личных комнат Екатерины II в южной части дворца (интерьеры Камерона). Ведется воссоздание резного убранства в Антикамерах, парадных залах к югу от Большого зала. Восстановлением интерьеров дворца занято свыше 150 искусных реставраторов: живописцев, скульпторов, лепщиков, керамистов, ткачей, краснодеревщиков, резчиков по дереву.
Долго и трудно шло возрождение зеленого массива пушкинских парков. Но и здесь, как и во дворце, залечены еще не все раны, нанесенные войной. В 1976 году старейшая часть Екатерининского парка, прилегающая ко дворцу, получила регулярную планировку. Проект архитекторов А. Кедринского и Н. Тумановой основывался на изобразительных и письменных источниках и документах XVIII века. Скоро обретут свой первоначальный облик интерьеры Эрмитажа, Грота и других павильонов.
В 1974 году в здании Лицея открылся мемориальный музей. По проектам архитекторов Л. Безверхнего, И. Бенуа, А. Кедринского на основе архивных материалов, собранных хранителем мемориального музея М. Руденской, воссозданы интерьеры учебных классов и спальни лицеистов.
Размах восстановительных работ по достоинству могут оценить те, кто видит в наши дни великолепный, поднятый из руин дворцово-парковый ансамбль, сверкающие прежней красотой фасады Екатерининского дворца. Колоссальный труд по возрождению дворцов и парков города Пушкина стал возможен только при постоянной поддержке Советского правительства, которое, проявляя заботу о восстановлении этих памятников искусства, отпускало на их реставрацию огромные средства.
Оценивая качество гигантских по масштабу реставрационно-восстановительных работ, можно без преувеличения считать, что они являются крупнейшими в мире и не имеют аналогов в международной практике. Реставрация произведена на высоком научном и художественном уровне. В ряде случаев была разработана уникальная методика, что внесло неоценимый вклад в развитие реставрационной науки и техники.
Имена наших современников — советских архитекторов, художников и реставраторов,— принявших в свои надежные руки бесценное наследие прошлого, по праву заняли свое место в ряду прославленных имен создателей пушкинских ансамблей.

Екатерининский дворец
Архитектор Ф.-Б. Растрелли. 1752—1756
Фасады восстановлены в 1957—1963
Интерьеры реставрируются с 1958
Авторы проекта реставрации
А. Кедринский (фасады);
А. Кедринский, Е. Мелик-Богдасарова, А. Лебединская, А. Куликов, А. Поляков, А. Ефимов, С. Игнатьев, Н. Беркова, Д. Дорошенко, С. Шешукова (интерьеры)

Парадные ворота
Деталь решетки
По рисунку
Ф.-Б. Растрелли.
1750-е
Железо, чугун,
позолота
Россия,
Сестрорецкий
оружейный завод
Реставрированы
в 1963

Купола дворцовой церкви

Екатерининский
дворец. 1944, январь

Екатерининский дворец
Скульптурный декор фасада

Парадная лестница
Часы
Воссозданы по
проекту
И. Монигетти
в 1970-х

Парадная лестница
Архитектор
И. Монигетти.
1860—1864
Восстановлена
в 1962—1964

Кавалерская
столовая
Изразцовая печь
Восстановлена
в 1969 по рисунку
Ф.-Б. Растрелли

Кавалерская столовая
Архитектор Ф.-Б. Растрелли. 1750-е
Восстановлена в 1965—1969

Большой зал
Резной декор.
1750-е. Деталь
Скульптор
И. Дункер
Воссоздан
в 1970—1980
художниками-
резчиками
А. Кочуевым,
А. Виноградовым,
М. Козловым
и другими

Большой зал
Портал северной
стены

Большой зал
Архитектор
Ф.-Б. Растрелли.
1750-е
Восстановлен
в 1970—1980

Екатерининский
дворец
Большой зал. 1944

Екатерининский
дворец
Большой зал
Дверной портал.
1944

Екатерининский
дворец
Большой зал
Плафон
«Триумф России».
Деталь
«Аллегория мира»
А. Перезинотти
по эскизу
Дж. Валериани.
1750-е
Реставрирован
в 1980 бригадой
художников
под руководством
Я. Казакова

Малиновая
столбовая
Архитектор
Ф.-Б. Растрелли.
1750-е
Реставрируется
с 1970-х

Парадная столовая
Архитектор
Ф.-Б. Растрелли.
1750-е
Восстановлена
в 1970—1985

Анфилада восстановленных залов

Янтарная шкатулка. XVIII в. Германия

Картинный зал
Паркет. Деталь
Воссоздан бригадой мастеров-паркетчиков
Е. Кудряшова

Шахматная доска
из янтаря. XVIII в.
Деталь
Германия

Картинный зал
П.-Д. Мартен.
1663—1742
Полтавская баталия.
1726

Картинный зал
Архитектор
Ф.-Б. Растрелли.
1750-е
Восстановлен
в 1960—1967

Зеленая столовая
Камин
Архитектор
Ч. Камерон,
скульптор
И. Мартос.
1781—1783
Восстановлена
в 1957—1959

Анфилада залов
Ч. Камерона
Вид из Зеленой
столовой

Екатерининский
дворец
Вид на анфиладу
парадных залов из
Зеленой столовой.
1944

Екатерининский
дворец
Голубая гостиная
Архитектор
Ч. Камерон.
1781—1783
Восстановлена
в 1957—1959

И. Никитин.
Около 1680 —
не ранее 1742
Портрет Петра I.
1720-е

Неизвестный
художник середины
XVIII в.
Портрет
Екатерины I

Голубая гостиная
Камин
По рисунку
Ч. Камерона
Реставрирован
в 1948
Л. Барбашем

Голубая гостиная
Паркет. Деталь
По рисунку
Ч. Камерона
Реставрирован
в 1960-е Т. Гусевым,
А. Квадриным,
Д. Лебедевым

Опочивальня
Каминная решетка.
Конец XVIII в.
По рисунку
Г. Козлова
Россия, Тульский
оружейный завод
Сталь, бронза

Часы каминные
с фигурой Юлия
Цезаря. Первая
четверть XIX в.
Франция
Бронза, малахит

Таган. 1780-е
По рисунку
Ч. Камерона
Россия, Петербург
Золоченая бронза

Каминные
принадлежности.
1780-е
По рисунку
Ч. Камерона
Россия, Петербург
Бронза

Часы настольные
с музыкальным
механизмом.
Середина XVIII в.
Франция, мастер
Ж. Каффиери
Бронза

Часы-канделябр.
Середина XVIII в.
Механизм Козара
Франция
Бронза, фарфор

Настольное
украшение
«Большой каприз».
1770-е
Россия, Петербург,
Императорский
фарфоровый завод
Фарфор

Люстра-фонарь. 1770-е
Франция
Бронза, стекло, хрусталь

Люстра. 1780-е
Россия, Петербург, Императорский стеклянный завод
Стекло, хрусталь

Живописный кабинет
Канделябр «миракль». Первая четверть XIX в.
Австрия (?)
Бронза, перламутр

Опочивальня
Столик для рукоделия.
Конец 1770-х
Россия, Петербург

Бюро-цилиндр.
1790-е
Россия, мастер
М. Веретенников

Секретер. 1760
Германия,
мастерская
А. Рентгена

Секретер. Деталь

Предхорная. Диван из мебельного гарнитура. 1750-е
По рисунку Ф.-Б. Растрелли
Обивка — шелк по образцу ткани XVIII в. Середина XIX в.
Россия, Москва, фабрика Г. Сапожникова

Кресло стальное. 1746
Россия, Тула

Опочивальня
Стул из мебельного гарнитура. 1780-е
Франция, мастер Ж. Жакоб

Предхорная. Обивка стен. 1770-е. Деталь
Шелк по образцу ткани Лионской мануфактуры XVIII в.
Россия, Московская губерния, село Фряново, фабрика И. Лазарева

Предхорная
Восстановлена
в 1957—1959

Опочивальня
Роспись филенок
двери. По рисунку
Ч. Камерона
Воссоздана в 1962
О. Педаясом

Китайская голубая
гостиная. Обивка
стен. Деталь
Художник-
реставратор
Р. Слепушкина

Опочивальня
Архитекторы
Ч. Камерон,
1781—1782;
В. Стасов, 1820-е
Восстановлена
в 1960—1962

Китайская
голубая гостиная
Архитектор
Ч. Камерон.
1781—1783
Восстановлена
в 1957—1959

Парадный
(Мраморный)
кабинет
Архитектор
В. Стасов.
1817—1820
Восстановлен
в 1970—1974

Живописный кабинет
Архитекторы
Ч. Камерон,
1781—1783;
В. Стасов, 1820-е
Восстановлен
в 1960—1962

Предцерковный зал
Архитектор
В. Стасов.
1843—1846
Восстановлен
в 1960—1961

Предцерковный зал
Ваза-канделябр.
1830
По рисунку
К. Шинкеля
Германия, Берлин
Бронза, фарфор

Мраморная
(Стасовская)
лестница
Ж. Лемер.
1597—1659
Античный пейзаж.
Середина XVIII в.
Деталь

Мраморная (Стасовская) лестница
Архитектор В. Стасов. 1843—1846
Восстановлена в 1970—1973

Парадная лестница
Просыпающийся
Амур. 1860
Скульптор
В. Бродзский
Реставрирован
в 1962
В. Кондратьевым

Скульптура «Просыпающийся Амур» с Парадной лестницы Екатерининского дворца, обнаруженная в парке у Зубовского флигеля. 1944

Екатерининский
парк
Павильон
«Эрмитаж». 1944

Екатерининский
парк. Эрмитажная
аллея

Воинская Доблесть. Начало XVIII в. Скульптор А. Тарсиа. Италия

Галатея. Начало XVIII в. Скульптор П. Баратта. Италия

Вид на Камеронову
галерею с луга

Камеронова галерея
Фасады
восстановлены
в 1948

Агатовые комнаты.
Вид из Камероновой
галереи
Архитектор
Ч. Камерон.
1780—1787
Фасады
восстановлены
в 1953

Агатовые комнаты
Яшмовый кабинет
Архитектор
Ч. Камерон. 1780-е

Пандус
Архитектор
Ч. Камерон.
1792—1794
Реставрирован
в 1953—1954

Пандус. Замковый камень. Маскарон

Лестница
Камероновой
галереи
Архитектор
Ч. Камерон.
1783—1787
Восстановлена
в 1947

Рамповая аллея

Вид с Камероновой галереи на Большой пруд

Мраморный (Палладиев) мост
Архитектор В. Неелов.
1770—1776
Восстановлен в 1951—1953

Фонтан «Девушка
с кувшином».
1816
По модели
П. Соколова
Россия, Петербург,
литейная
мастерская
Академии
художеств

Металлический
мостик
у Кухни-руины
Архитектор
Дж. Кваренги. 1785
Реставрирован
в 1950-х

Кухня-руина
Архитекторы
Дж. Кваренги,
Ф. Альбани.
1785—1786

Концертный зал
Архитектор
Дж. Кваренги.
1782—1788
Фасады
восстановлены
в 1955—1957

Скрипучая беседка
Архитекторы
Ю. Фельтен,
В. Неелов.
1778—1786
Реставрирована
в 1954—1956

Екатерининский
парк
Ротонда
Концертного зала.
1944

Екатерининский
парк
Вечерний зал
Архитекторы
П. Неелов, 1796;
Л. Руска, 1810—1811
Фасады
восстановлены
в 1948—1954

Павильон
«Турецкая баня»
Архитектор
И. Монигетти.
1850—1852
Фасады
восстановлены
в 1957

Башня-руина
Архитектор
Ю. Фельтен.
1771—1773

Ворота памяти
войны 1812 года
(«Любезным моим
сослуживцам»)
Архитектор
В. Стасов. 1817
Восстановлены
в 1975—1981

Чесменская колонна
Архитектор
А. Ринальди.
1771—1778
Реставрирована
(кроме бронзовых
барельефов)
в 1952—1954
по проекту
А. Кедринского

Павильон «Эрмитаж» Архитектор Ф.-Б. Растрелли. 1744—1756 Фасады реставрированы в 1953—1954 по проекту А. Кедринского

Павильон «Эрмитаж» Скульптурный декор южного фасада

Павильон «Эрмитаж». Большой зал
Дж. Валериани. Плафон «Пир богов на Олимпе». 1750
Воссоздан в 1976—1980 бригадой художников под руководством Я. Казакова

Павильон «Грот» (Утренний зал)
Архитекторы Ф.-Б. Растрелли, 1749—1762;
А. Ринальди, 1771 (интерьеры)
Фасады реставрированы в 1950-х

Нижняя ванна
Архитектор И. Неелов. 1778—1779
Фасад реставрирован в 1950-х

Верхняя ванна
Архитектор И. Неелов. 1777—1779
Восстановлена в 1952—1953 по проекту С. Новопольского

Вид на регулярную часть Екатерининского парка
Планировка воссоздана в 1965—1975 по проекту Н. Тумановой

Екатерининский
парк
Беседка
«Большой каприз»
Архитекторы
В. Неелов,
И. Герард.
1772—1774

Александровский
парк
Большой Китайский
мост
Архитектор
Ч. Камерон. 1780-е

Александровский
дворец
Архитектор
Дж. Кваренги.
1792—1796
Фасад восстановлен
в 1949

Эсэсовское
кладбище у входа
в Александровский
дворец. 1944, январь

Александровский
парк
Шапель
Архитектор
А. Менелас.
1825—1828

Лицей
Архитекторы
И. Неелов, 1791;
В. Стасов, начало
XIX в.
Интерьеры
восстановлены
в 1949, 1973
по проекту
Л. Безверхнего

Актовый зал
Восстановлен
в 1949, 1973

Памятник
А. Пушкину
в Лицейском саду.
1900
По модели
скульптора Р. Баха

ПАВЛОВСК

Большой дворец

Парк

ПАВЛОВСК

Архитектурно-художественный ансамбль Павловска принадлежит к памятникам мировой художественной культуры и садово-паркового искусства конца XVIII — первой четверти XIX века.
Это самый молодой из дворцово-парковых комплексов пригородов Ленинграда: он начал создаваться в то время, когда уже сверкали и шумели фонтаны Петергофа, устраивались увеселительные забавы придворной знати на Катальной горке в Ораниенбауме, поражали размахом и пышностью празднества «во славу России» в Царском Селе.
«Павловское начато строить в 1777 году»,— значится в архивных документах. Формирование дворцово-паркового ансамбля Павловска, включающего в себя изысканных классических пропорций дворец с богатейшими коллекциями предметов художественного убранства и обширный пейзажный парк площадью около 600 гектаров — один из самых больших и живописных в стране,— происходило в сравнительно короткие сроки — всего за пять десятилетий. Отличительная черта ансамбля — исключительная стилистическая целостность — объясняется не только тем, что он полностью сформировался в период господства одного художественного стиля — классицизма, но также и тем, что многие архитекторы, работавшие здесь, выступали и как художники-декораторы, мастера декоративно-прикладного искусства, и как паркостроители. Целая плеяда мастеров классицизма строила и украшала Павловск. Это архитекторы Ч. Камерон, В. Бренна, Дж. Кваренги, А. Воронихин, Ж. Тома де Томон, К. Росси; скульпторы И. Прокофьев, Ф. Гордеев, И. Мартос, М. Козловский, В. Демут-Малиновский. Созданный ими ансамбль, по выражению первого наркома просвещения А. Луначарского, стал памятником, «равных которому мало можно найти в Европе».
Богатый пушным зверем огромный участок густого леса в 362 десятины (395 гектаров), расположенный в трех километрах от Царского Села, был выбран Екатериной II для строительства летней загородной дачи своего сына — великого князя Павла Петровича, будущего императора Павла I — и его жены Марии Федоровны. На высоких холмах, на довольно значительном расстоянии друг от друга, построили два дома: Паульлюст («Павлова утеха») и Мариенталь («Долина Марии»). В 1778 году оба дома уже отмечены на плане «Положению мест между Царским Селом и мызою Малой Славянкой». По склонам холмов, вблизи основных построек, располагались легкие беседки в подражение китайской архитектуре, павильоны-руины, деревянные мостики через извилистую речку Славянку. Вскоре на вырубленном участке леса сооружается более крупная парковая постройка — Старое шале (1779), а в 1780 году на равнинном месте, в самой живописной излучине реки Славянки, закладывается фундамент павильона «Храм Дружбы». Его строительство осуществлял по своему проекту, одобренному Екатериной II, приглашенный ею архитектор-теоретик шотландец Чарлз Камерон. Выбор места для павильона, строгие пропорции и художественная отделка храма-ротонды, напоминавшие античные памятники, произвели весьма благоприятное впечатление на Екатерину II, и вскоре Ч. Камерон подписывает контракт на строительство в Павловске нового каменного дворца. Камерон разработал не только проект архитектурного решения «Главного дома», но и тщательно продумал композицию основных парковых районов: расположение дорог, аллей, тропинок, размещение павильонов и мостов, устройство прудов, плотин и каскадов.
Умело используя огромные пространства и разнообразие рельефа местности, Ч. Камерон создал на месте диких лесных зарослей удивительные по красоте пейзажные панорамы. Осуществляя вырубки и одновременно посадки деревьев, он чередовал рощи и поляны, куртины и одиночные деревья (солитеры). Подбирая деревья по рисунку кроны, цвету листвы, зодчий, в дополнение к местным породам, выписал из-за границы (из Англии, Голландии, Новой Зеландии) несколько тысяч деревьев и кустарников.

Если в отдаленных парковых районах Камерон практически сохранил нетронутость девственного леса, лишь прорезав его звездообразно расходящимися дорожками, обсаженными стриженым кустарником, то совсем по-иному решил он парковые районы, прилегавшие к дворцу.

В непосредственной близости от него зодчий разместил участки с регулярной планировкой, украшенные нарядными цветниками: в стороне от Тройной липовой аллеи — главного въезда в усадьбу — Вольерный участок, а под окнами южного фасада дворца — Собственный садик. Заново были «написаны» рукой мастера живописные пейзажи долины реки Славянки, где особое внимание Камерон уделил

Вид на Павловский дворец от реки Славянки. Гуашь Сем. Щедрина. Около 1796

созданию больших водных зеркал, в которых отражались белые колонны его основных построек — Большого дворца и павильона «Храм Дружбы». Другие парковые павильоны, возведенные Камероном в традициях греко-римского искусства — Колоннада Аполлона, Холодная баня, Павильон Трех граций,— также стали центрами созданных им ландшафтов.

Главное сооружение ансамбля — Большой дворец, возвышавшийся на пологом холме, был виден из самых отдаленных точек парка. Зодчий, воспитанный на архитектурной классике Греции и Рима, выбрал для дворца распространенный тип загородной итальянской виллы с венчающим ее плоским куполом. Однако общую схему здания он решил по образцу русской усадьбы: к центральному трехэтажному корпусу дворца примыкали открытые галереи-колоннады, соединявшиеся по изогнутой линии с симметрично расположенными квадратными корпусами в полтора этажа. Купол Центрального корпуса покоился на 64 колоннах. Служебные постройки, практически лишенные декора, подчеркивали главенствующую роль основного объема здания. Камерон выделил центральную часть его фасада, выходившего на парадный двор, четырьмя парами колонн коринфского ордера, объединив их изящным орнаментальным антаблементом. Иначе решил зодчий парковый фасад, где легкий фронтон поддерживали шесть колонн коринфского ордера, из которых две средние колонны не имели парных. Отделанный под руст, монументальный цокольный этаж Центрального корпуса контрастировал с изяществом установленных на нем стройных колонн. Разнообразно решил Камерон и оформление оконных проемов, украсив их фронтонами или вписав в округлые неглубокие ниши, дополнив отделку фасадов сдержанным лепным декором. Белый цвет колонн, лепных орнаментов и барельефов гармонично сочетался с охристым тоном гладких стен.

Разрабатывая планировку внутренних покоев дворца, Камерон отвел для жилых комнат первый — цокольный — этаж, а для официальных помещений — бельэтаж

Центрального корпуса. По сторонам от основных парадных помещений — Вестибюля, Итальянского и Греческого залов, сориентированных по главной композиционной оси всего ансамбля (в парке она продолжалась Тройной липовой аллеей),— он расположил парадные покои владельцев дворца — южную анфиладу для Марии Федоровны, северную — для Павла Петровича.

Наряду с художественным решением интерьеров дворца Камерон тщательно продумывал и убранство залов предметами декоративно-прикладного искусства, добиваясь их стилистического единства. Он настойчиво просил владельцев дворца, совершавших в самый напряженный период строительства длительное путешествие

Вид на Храм Дружбы в Павловском парке
Гуашь Сем. Щедрина. Конец XVIII в.

по странам Западной Европы, приобрести во Франции мебель и шелковые ткани для драпировок, в Италии — подлинные антики и мраморные камины. Значительная часть его заказов была выполнена.

Однако полностью в соответствии с замыслом Камерона была осуществлена лишь отделка нескольких комнат первого этажа — Танцевального зала, Белой столовой, Старой гостиной и Бильярдной. В оформлении этих залов Камерон применил зеркала и тонкую лепку. Их декор отличался утонченностью форм, изысканным сочетанием цветовых соотношений. Бесконечно варьируя свои излюбленные мотивы — меандр, завитки акантового листа, стилизованные ветки плюща,— Камерон повторил их в лепном декоре стен, потолков, дверей и оконных проемов. Этот же мотив прослеживался в бронзовых накладках на часах, вазах, осветительных приборах, составлявших убранство интерьеров.

Работа производилась под придирчивым контролем хозяев дворца, постоянно вносивших изменения в проекты Камерона и требовавших их неукоснительного исполнения. «Несговорчивость» архитектора, отстаивавшего свою творческую независимость, стала причиной его отставки с должности главного архитектора в 1786 году. С этого времени он занимался павловскими постройками лишь эпизодически.

Руководство работами переходит к В. Бренне, помощнику Камерона, продолжившему в течение нескольких лет отделку дворцовых залов. А в 1796 году Павел I, ставший императором, поручил ему реконструкцию дворца. Бренна надстроил галереи-колоннады и квадратные корпуса, к которым пристроил симметрично расположенные полуциркульные флигеля, почти полностью замкнувшие парадный двор, а также возвел дворцовую церковь и предцерковную галерею. Свои постройки он богато декорировал императорскими вензелями, коронами, гербами, арматурой из воинских доспехов. Стремление к помпезности и пышности сказалось и в отделке внутренних покоев, особенно помещений для официальных приемов.

Для этой цели пришлось даже перепланировать и заново оформить ряд старых помещений дворца. Бывшие гостиные по сторонам Греческого зала были превращены в приемные императрицы (зал Мира) и Павла I (зал Войны), где временно, до постройки Тронного зала, установили трон. В новых помещениях Бренна расположил большие парадные залы — Картинную галерею, Большую парадную столовую, Оркестровую — и соединил их с Центральным корпусом проходными кабинетами. Многие интерьеры дворца Бренна отделывает сам как художник-декоратор, основываясь на своем глубоком знании памятников мирового искусства, в особенности античного. Так, в отделку Будуара он включил мраморные пилястры с росписью

Пейзаж
в Павловском парке
Гуашь А. Мартынова.
Конец XVIII в.

арабесками, повторяющей элементы росписи лоджий Рафаэля в Ватикане, а в декор зала Войны — живописные вставки, представлявшие «воинов разных наций», работы художника Я. Меттенлейтера.
Из всех декоративных приемов Бренна в оформлении залов отдает предпочтение высокому рельефу, создающему богатую игру света и тени, обильно применяет позолоту, активно использует многоцветные живописные плафоны.
Учитывая изменение характера ансамбля и назначения парка, служившего теперь местом проведения официальных празднеств, приемов и церемоний, Бренна значительно обогатил оформление большинства парковых районов. Здесь, как и в дворцовых интерьерах, преобладало стремление к пышности и торжественности. Не случайно композицию ряда парковых участков Бренна решает по принципу «зеленых залов» — открытых площадок, окруженных «стенами» из деревьев и кустарников с установленной внутри мраморной, бронзовой, каменной и чугунной скульптурой.
Прежде всего изменения коснулись придворцовых участков парка. К северу от Тройной липовой аллеи появился новый регулярный участок — Большие круги, представлявший собой два восьмигранных партерных цветника, в центре которых на террасах из пудостского известняка были установлены статуи «Мир» и «Правосудие» работы скульптора П. Баратты. В художественном решении этого паркового участка, так же, как и в облике созданной Бренной Большой каменной лестницы, соединившей два парковых района — Придворцовый и Долину реки Славянки, ощущалось влияние итальянских садов.
Ниже по течению Славянки Бренной были созданы новые парковые районы, получившие названия «Старая Сильвия» и «Новая Сильвия» (от латинского silva — лес). Композиционным центром Старой Сильвии стала круглая площадка с установленной в центре статуей Аполлона Бельведерского. От нее радиально расходились двенадцать аллей, также украшенных скульптурой. Отсюда происходит и второе название

района — Двенадцать дорожек. Скульптурный ансамбль Двенадцати дорожек включал в себя копии с античных оригиналов — статуи девяти муз, Флоры, Венеры Каллипиги, Меркурия, выполненные Ф. Гордеевым и П. Соколовым.
Новая Сильвия сохранила вид девственного леса, в гуще которого были проложены аллеи — то параллельные друг другу, то расходящиеся в стороны, то соединяющиеся в площадки различной формы. Пограничное положение этого, наиболее удаленного от центра парадного района парка, примыкавшего к естественным лугам и лесам, подчеркивала установленная на одной из площадок мраморная колонна «Конец света» — единственное архитектурное украшение Новой Сильвии. Обе Сильвии

Пейзаж с Висконтиевым мостом. Акварель Дж.-Б. Скотти. Первая четверть XIX в.

Бренна связал Руинным каскадом, декорированным под античную руину подлинными фрагментами древних статуй и обломками мраморных колонн.
Продолжил Бренна и работы по формированию пейзажей средней части Долины Славянки. Построенные им на противоположных берегах реки Каменный и Зеленый амфитеатры использовались во время разного рода представлений и праздничных иллюминаций как разделенные водным пространством места для зрителей и грандиозная сцена.
Оригинальной парковой затеей стала построенная Бренной на берегу реки Пиль-башня с водяной мельницей. Круглая башня с конической соломенной кровлей снаружи была расписана художником-декоратором П. Гонзагой под обветшалое строение, внутри же скрывался роскошно отделанный салон.
В 1800 году к отделке помещений в нижнем этаже дворца был привлечен известнейший архитектор своего времени Джакомо Кваренги. Существенно переработав оформление нескольких интерьеров, в ряде случаев изменив расположение каминов, оконных и дверных проемов, он осуществил новый декор в Пилястровом и Новом кабинетах, а также в Туалетной Марии Федоровны.
Широко используя искусственный мрамор, Кваренги, как правило, плоскость стен оформлял легкими филенками, обрамляя их либо орнаментальной золоченой лепкой, либо заключая всю плоскость стены «в рамку» более темного цвета. Этот прием, характерный для зодчего, особенно последовательно воплощен им в отделке Пилястрового кабинета, где гладь белых стен, расчлененных желтыми пилястрами искусственного «сиенского» мрамора, разбита тягами на панно. Монументальная торжественность зала подчеркнута лепными орнаментальными барельефами в верхней части стен, окрашенными под темную бронзу. Южные фасады дворцовых корпусов Кваренги украсил гранитными и мраморными террасами-спусками в Собственный садик.

После смерти Павла I в 1801 году Павловск теряет значение императорской резиденции. В. Бренна уходит в отставку, а ведущим архитектором Павловска становится А. Воронихин, уже известный своими работами в Строгановском дворце в Петербурге и победой в конкурсе на лучший проект Казанского собора.
Именно ему было поручено восстановление парадных залов Центрального корпуса и жилых покоев, сильно пострадавших в результате большого пожара 1803 года. Владелица дворца, вдовствующая императрица Мария Федоровна, хотела видеть все пострадавшие залы восстановленными в прежнем виде. Но вскоре, очевидно, доверившись вкусу и опыту зодчего, приняла предложенные им переделки.

Колоннада Аполлона Гравюра Л. Серякова. 1895. Лист из альбома

Воссоздав все самое лучшее и типичное в камероновских и бренновских ансамблях, Воронихин в отделку ряда интерьеров внес некоторые изменения.
Восстанавливая помещения дворца, Воронихин предпочитает лепку живописи, заменяя живописные вставки рельефами, а вместо сюжетных плафонов использует гризайль, как, например, в Греческом зале. Новые орнаментальные композиции для плафонов в парадных комнатах выполнил художник Дж.-Б. Скотти.
В Павловске нашло отражение и характерное для Воронихина увлечение искусством Древнего Египта: в отделку вестибюля вместо погибших аллегорических фигур двенадцати месяцев (работы И. Прокофьева) Воронихин ввел скульптуры, выполненные в характере древнеегипетской пластики, использовав в новых композициях уцелевшие после пожара атрибуты на пьедесталах скульптур. В том же характере выполнены и гермы, помещенные между арками хоров Итальянского зала взамен утраченных скульптурных изображений.
В 1805—1807 годах он проектировал и осуществлял отделку Спальни Марии Федоровны, Палатки (Маленького круглого кабинета) и кабинета «Фонарик». В убранство кабинета «Фонарик» — лучшего произведения Воронихина в Павловском дворце — включены скульптурные кариатиды, выполненные В. Демут-Малиновским. Перед Палаткой со стороны Собственного садика зодчий пристроил мраморное крыльцо-террасу.
Разрабатывая проекты архитектурного убранства для дворцовых интерьеров, Воронихин в комплексе с ними создавал и предметы декоративно-прикладного искусства. По его рисункам были выполнены мебель, осветительные приборы, вазы из стекла и хрусталя, уральских и алтайских цветных камней, изделия из металла. Форма и характер этих предметов соотносились с назначением помещений и их общим обликом, но в основном в них использовались мотивы античного искусства. В изысканных и разнообразных античных формах решены мебельные гарнитуры для Греческого

и Итальянского залов, для Пилястрового кабинета, Туалетной, Спальни, залов Войны и Мира. Основная часть мебели по рисункам Воронихина создавалась петербургскими мастерами: Г. Гамбсом (учеником Д. Рентгена), Ф. Битепажем, К. Шейбе.
В парке Воронихин дополнил декорацию некоторых построек: лестница у Мариентальского пруда получила завершение в виде каменной пристани с гранитными львами; мостик у Холодной бани украсился мраморными фигурами кентавров. В Долине реки Славянки по проектам Воронихина возводятся два моста: Висконтиев, получивший название по имени строившего его каменных дел мастера итальянца Висконти, и Пиль-башенный — на месте обветшалой водяной мельницы. Но,

Павильон «Вольер».
Интерьер
Акварель неизвестного художника, 1810-е

пожалуй, наиболее поэтичным сооружением Воронихина стал Розовый павильон. Бывшую дачу военного коменданта Павловска князя П. Багратиона в 1811 году приобрело дворцовое ведомство. Воронихину было поручено переделать дачу в парковый павильон. Оставив внешний облик квадратной в плане деревянной постройки с куполом и колонными портиками по всем четырем фасадам почти без изменений, зодчий основательно переделывает ее внутри. Интерьеры павильона были расписаны художником-декоратором Дж. Скотти, Воронихин же разработал мебельное убранство для всех помещений, выполненное в петербургских мастерских из нового, только что входившего в моду материала — карельской и волнистой березы. Поскольку павильон был обсажен снаружи огромным количеством кустов роз редчайших сортов, в орнаментике внутреннего убранства непременным элементом стало изображение роз и цветов шиповника. На сервизе Розового павильона — в зеркалах тарелок, в резервах чашек и компотьеров представлены все 64 известные в то время сорта. В 1814 году Розовый павильон стал местом большого торжества по случаю триумфального возвращения русских войск после победы над Наполеоном. Работавший в Павловске несколько лет в содружестве с Воронихиным архитектор Тома де Томон вошел в число создателей ансамбля своей единственной постройкой: он возвел Мавзолей «Супругу-благодетелю», (1808—1809), посвященный памяти Павла I. Уединенный мемориальный павильон сооружен в формах античного храма. Установленную внутри павильона скульптуру в виде плачущей коленопреклоненной женщины, обнимающей подножие траурной урны, выполнил скульптор И. Мартос. Тома де Томон много работал как художник-декоратор: по его проектам на Императорских фарфоровом и стеклянном заводах, на Петергофской гранильной фабрике были изготовлены декоративные предметы из цветного стекла и фарфора, вазы из русских камней-самоцветов, вошедшие в убранство Павловского дворца. В 1807 году по предложению Воронихина художник-декоратор П. Гонзага расписал

стену открытой галереи на западной стороне северного полуциркульного крыла дворца. Семь панно, написанные в технике фрески, средствами перспективной живописи иллюзорно передавали сложные архитектурные композиции с уходящими в бесконечность колоннадами, лестницами и аркадами.
После смерти Воронихина в 1814 году ведущим архитектором Павловска становится ученик Бренны К. Росси, завершивший формирование художественного ансамбля Павловска. Крупнейшей работой Росси во дворце стало сооружение Библиотеки (1824) над Галереей Гонзага. Несмотря на более насыщенный декор фасадов, характерный для позднего классицизма, Библиотека органично вошла в комплекс

Вид на обелиск и Мариентальскую долину с террасы Павильона Трех граций
Акварель неизвестного художника. 1810-е

зданий Камерона и Бренны. В оформлении помещения Библиотеки Росси показал себя прекрасным мастером-декоратором. По его рисункам были изготовлены специальные шкафы из волнистой и карельской березы, столы и витрины для коллекций, изогнутые по форме зала, изделия из золоченой бронзы, декоративные вазы из цветного камня. Роспись «гризайль» сводчатого потолка выполнил один из лучших декораторов Петербурга Б. Медичи.
По желанию хозяйки дворца зодчий переделал планировку и декор некоторых интерьеров в первом этаже. Так, Танцевальный зал и Старую гостиную он объединил в Большую столовую, для чего была сломана смежная стена, а пролом получил оформление в виде широкой и пологой арки. Стены нового зала Росси отделал искусственным мрамором, скрыв под облицовкой лепной фриз первоначальной отделки, выполненной по проекту Ч. Камерона. В ряде случаев Росси достиг обновления облика залов путем замены меблировки и предметов художественного убранства. По его проектам изготавливаются гарнитуры мебели, светильники из цветного стекла, настольные украшения из слоновой кости.
В своих парковых постройках Росси выступил как новатор, применив в спроектированных им сооружениях малых архитектурных форм — скамьях, оградах, воротах, садовых вазах — необычный, только еще заявлявший о своих богатых декоративных возможностях материал — чугун. Лучшие постройки Росси, выполненные в Павловске из этого материала,— Чугунный мостик через Славянку у Храма Дружбы и Николаевские (Чугунные) ворота, сооруженные в 1826 году при въезде в резиденцию.
Последние работы по формированию садово-паркового ансамбля Павловска были произведены выдающимся художником-декоратором П. Гонзагой. Более четверти века отдал он Павловску. Начав работать как оформитель интерьеров и исполнив роспись нескольких плафонов, он вскоре обрел второе призвание, став паркостроителем. Виртуозно используя разнообразные возможности северной природы, Гонзага

создал в Павловске новый, русский тип пейзажного парка — парка равнин, полей и лугов в обрамлении лесных массивов, без архитектурных сооружений и скульптуры. С именем Гонзаги связаны величественные ландшафты самых больших парковых районов — Белой Березы и Красной Долины; выращенные на месте пыльного плаца зеленые декорации Парадного поля; проникнутые романтическим настроением пейзажи Долины прудов.
В конце 1820-х годов новое строительство на дворцовой территории прекратилось. После смерти Марии Федоровны Павловск становится одним из многочисленных великокняжеских имений.

В. Шварц.
Развод караула
в Верхнем вестибюле
Павловского дворца.
1848

В 1835—1837 годах между Петербургом и Павловском была проложена первая в России железная дорога. В Павловске, на ее конечном пункте, архитектор А. Штакеншнейдер в 1838 году построил здание «воксала», где для привлечения пассажиров устраивались музыкальные концерты. В 1844 году здание сгорело, и архитектор вновь отстраивает его с некоторыми изменениями, увеличив концертный зал: павловские музыкальные сезоны пользовались большой популярностью. Здесь устраивались концерты лучших оркестров, знаменитых дирижеров и солистов. В течение нескольких сезонов на этой сцене выступали Иосиф и Иоганн Штраусы, здесь впервые был исполнен в 1859 году «Вальс-фантазия» М. Глинки.
Красота Павловска издавна привлекала сюда русскую интеллигенцию. С этим городом связаны жизнь и творчество многих деятелей русской культуры — поэтов и писателей, музыкантов и композиторов, актеров и художников. Здесь часто бывали и жили В. Жуковский, Н. Гоголь, К. Брюллов, И. Крылов, Н. Карамзин, Ф. Достоевский. Заметное влияние оказал Павловск на творчество знаменитых драматических актрис М. Савиной и М. Ермоловой. Тонкий лиризм павловских пейзажей получил отражение в произведениях художников конца XVIII—XIX века — С. Щедрина, А. Мартынова, М. Иванова, И. Шишкина, И. Крачковского, а позднее — А. Бенуа, А. Остроумовой-Лебедевой, В. Талепоровского, В. Конашевича.
Новая жизнь Павловского дворцово-паркового ансамбля началась после Великой Октябрьской социалистической революции. Дворец и парк были национализированы и превращены в 1918 году в историко-художественный музей. С этого времени памятники искусства, в создании которых наряду с архитекторами, скульпторами и художниками, участвовали десятки сотен мастеровых, крестьян, работных людей, солдат, стали народным достоянием, средством художественного воспитания трудящихся. С первых месяцев жизни Павловска как музея начались ремонтно-восстановительные работы, подготовка специалистов музейного дела, был организован

учет и приняты меры к обеспечению сохранности всех музейных ценностей.
О большой научно-исследовательской работе, проводившейся в Павловском дворце-музее, свидетельствует тот факт, что в результате осуществленной в 1938—1939 годах Генеральной инвентаризации были выполнены атрибуция, обмеры и научные описания более 24 тысяч первоклассных произведений искусства, составлявших коллекции музея. Среди них — изделия из художественной бронзы П.-Ф. Томира и П.-Ж. Гутьера; собрание фарфора и фаянса, как привезенного из Китая, Японии, Франции, Германии и Англии, так и выполненного русскими мастерами; декоративные ткани, ковры и шпалеры, мебель и изделия из камня.

Большой дворец
Центральный корпус.
1944

Особое место среди коллекций занимало собрание живописных полотен русских и западноевропейских художников.
Накануне Великой Отечественной войны Павловск жил исключительно мирными заботами — в то лето планировалось начало реставрации некоторых парковых сооружений, готовились тематические выставки из музейных коллекций. 12 мая 1941 года Исполком Ленинградского городского Совета депутатов трудящихся принял решение «Об охране садов и парков».
Вторжение немецко-фашистских войск на территорию СССР открыло новые, полные трагизма страницы истории дворцово-паркового ансамбля. Сразу же после правительственного сообщения о нападении фашистской Германии на Советский Союз развернулась эвакуация художественных сокровищ.
Отбор предметов, их упаковка, транспортировка и консервация на местах проводились немногочисленной группой сотрудников музея, от самоотверженного труда которых зависел успех операции по спасению первоклассных произведений искусства.
При этом требовалась максимальная организованность, внутренняя дисциплина, беспредельная честность и чувство личной ответственности за выполнение задания особой важности. Возглавил работу директор музея И. Микрюков.
Эвакуация проводилась по четкому мобилизационному плану, составленному еще в довоенное время. Для каждой группы предметов были разработаны свои специфические условия и правила упаковки, обеспечивавшие полную сохранность.
Живописные произведения небольшого размера размещались в ящиках лицевой стороной друг к другу. Изоляцией служила прокладка из тонкой папиросной бумаги. Полотна крупного размера накатывались на специальные валы также с бумажными прокладками, зачастую по нескольку картин на один вал, после чего для большей безопасности валы обшивались холстами и клеенкой.
Осветительные приборы требовали другой технологии упаковки: фонари, люстры,

жирандоли сначала демонтировались; хрустальные подвески и металлические части упаковывались отдельно. Аналогичный принцип применялся для упаковки фарфоровых и стеклянных ваз с бронзовым декором.
Особенно сложной проблемой стала эвакуация музейной мебели, занимавшей большие объемы. Крупноформатные предметы, такие, как стол из Библиотеки Павла I, исполненный по рисунку В. Бренны в петербургских мастерских Г. Гамбса, занял в разобранном виде целых три ящика. Многопредметные гарнитуры мебели вывозились частично — мебель Греческого зала, выполненную по рисункам А. Воронихина, эвакуировали в образцах: один диван из четырех и четыре кресла из двадцати двух.

Большой дворец
Парадный
вестибюль. 1944

Павловский парк
Фашистский бункер,
сооруженный на
месте разрушенного
Розового павильона.
1944

Со всех оставшихся предметов были сняты уникальные обивки работы французской мануфактуры Бове.
Декоративные ткани, ковры, шпалеры, гобелены, входившие в убранство парадных залов дворца и представлявшие большую художественную ценность, вывезли почти полностью. Некоторые, менее ценные, использовались как прокладочно-упаковочный материал и таким образом сохранялись для последующих реставрационных работ.
Эвакуация проводилась в несколько этапов. Первая партия (755 предметов) — самые ценные произведения, определявшие художественный облик каждого дворцового интерьера,— была подготовлена к отправке в город Горький уже 4 июля 1941 года. Под первым номером значилось зеркало из Туалетного прибора Парадной опочивальни, работы Севрской фарфоровой мануфактуры. С этой же партией музейных предметов эвакуировались подлинные авторские чертежи архитекторов Ч. Камерона, В. Бренны, К. Росси, Ж. Тома де Томона, эскизы П. Гонзаги, живописные произведения из кабинета «Фонарик» и Картинной галереи.
Спустя десять дней из Павловска туда же, в глубокий тыл, была вывезена вторая партия — 1659 предметов убранства дворцовых залов: картины, скульптура, мебель, фонари Греческого и Тронного залов. Вместе с ними отправлялись чертежи и планы парка, архив императорской фамилии периода строительства дворцово-паркового ансамбля. Среди сложных для транспортировки произведений были тяжелейшие мраморные статуи-антики «Муза у скалы», «Пляшущий сатир», «Эрот, натягивающий лук» и другие.
Третья партия музейных предметов готовилась к эвакуации в более сложных условиях: заметно сократилось число сотрудников, часть из которых привлекалась на строительство оборонных укреплений. Остро ощущалась нехватка тары и упаковочных материалов. Однако приобретенный опыт, желание максимально сберечь бесценные художественные коллекции позволили сделать, казалось бы, невозможное. 20 августа

в город Сарапул Удмуртской АССР отправилась третья партия — 3167 предметов: среди них — 13 люстр и фонарей, 54 живописные произведения западноевропейских и русских художников. В разобранном виде были упакованы детали кровати резного золоченого дерева — уникальной работы французского мебельного мастера А. Жакоба; в 22 пакета уложены детали второго фонаря из Греческого зала, в 21 пакет — люстра из Итальянского зала. Фарфоровые вазы «Сплетницы» русской работы уезжали вместе с вазами Севрской мануфактуры; сервиз из Розового павильона — вместе с фаянсовыми сервизами английских мануфактур Спода, Челси, Веджвуда.

Одновременно с эвакуацией проводились работы по консервации лепного декора и других деталей отделки интерьеров и захоронению музейных коллекций в специальных укрытиях. В подвалы Северного квадратного корпуса с большими трудностями переместили тяжелые античные статуи из убранства Кавалерского и Итальянского залов, закупленные в XVIII веке Екатериной II у английского коллекционера Ллойда Брауна; в Темную буфетную — вазы из цветного камня и мраморные вазы работы Н.-Ф. Жилле. Входы в укрытия тщательно замаскировали.

Парковую скульптуру из бронзы и мрамора спрятали в захоронениях у Галереи Гонзага, на Вольерном участке, в Собственном садике, в районе Двенадцати дорожек и у Больших кругов. Места захоронения засеяли травой. План укрытий парковой скульптуры был отправлен с третьей партией эвакуируемых музейных коллекций.

Консервация и эвакуация ценностей из дворца и парка продолжались под постоянными орудийными обстрелами, при непрекращающихся налетах и бомбардировках с воздуха. 10 сентября из Павловска на подводах отправилась последняя партия экспонатов. Направлялась она уже не в глубокий тыл, а в Ленинград, в Исаакиевский собор,— враг перерезал железнодорожную связь Ленинграда со страной.

Героическими усилиями сотрудников музея было спасено более семи тысяч произведений искусства, но полностью коллекции музея спасти не удалось.

16 сентября 1941 года немецко-фашистские части были уже на окраинах Павловска, а в ночь на 17 сентября они овладели городом. Последними покинули Павловский дворец научный сотрудник Н. Вейс и назначенная 20 августа директором дворцово-паркового ансамбля А. Зеленова, до конца руководившая эвакуацией.

В первый же день оккупации дворец был превращен захватчиками в центр по регистрации населения, не успевшего эвакуироваться (за время оккупации насильно угнано в немецкое рабство 15 тысяч мирных жителей города). Позднее в казармах, устроенных в первом этаже дворца, расположились солдаты испанской Голубой дивизии, которых вновь сменили немецкие части. Разорение, разрушение и разграбление дворца и парка производились в Павловске так же планомерно, как и в других оккупированных районах. Батальоном особого назначения Риббентропа и командами штаба Розенберга из Павловска была вывезена вся оставшаяся художественная мебель, книги из Библиотеки Росси — словом, все, вплоть до дверных ручек. Многие предметы убранства залов фашисты использовали для оборудования своих блиндажей и бункеров.

Всю территорию парка пересекали траншеи и ходы сообщений; при строительстве укреплений гитлеровцы использовали вековые парковые деревья. В лучшей части парка они устроили кладбище, кресты для 2000 могил сколотили из молодых берез Павловского парка. Розовый павильон был разобран для строительства блиндажа.

Тем временем на эвакобазах — в Новосибирске (куда в конце 1941 года из Горького, постоянно подвергавшегося бомбардировкам вражеской авиацией, переехало музейное хранилище), в Сарапуле и в холодных стенах Исаакиевского собора в блокадном Ленинграде научные сотрудники, находившиеся вместе с эвакуированными коллекциями, вели непрекращавшуюся работу по контролю за состоянием тысяч и тысяч музейных предметов, читали лекции, организовывали выставки. Как ни горьки были известия из оккупированных пригородов Ленинграда, страстное желание видеть дворцы и парки возрожденными владело всеми их помыслами. Хорошо зная свои музеи, они по памяти вычерчивали планы дворцовых залов и на бумаге «восстанавливали» экспозиции.

Еще взрывались бомбы и снаряды, еще враг стоял у стен Ленинграда, а Управление культуры города посылало телеграфные запросы в Новосибирск и Сарапул с просьбой подготовить и переслать подлинные авторские чертежи архитекторов — строителей Павловска — и обмерные чертежи, выполненные в предвоенные годы. Коллективно разрабатывалась методика восстановительных работ, единая для всех дворцово-парковых ансамблей пригородов Ленинграда. В числе ее основных создателей — А. Зеленова (Павловск), С. Балаева (Гатчина), Е. Турова (Пушкин).

24 января 1944 года войска Ленинградского фронта полностью освободили город

Павловск. Корреспондент журнала «Звезда» П. Лукницкий записал свои впечатления от поездки в Павловск вскоре после изгнания фашистов: «...Сквозь ветви с пригорка мы видим дворец. Он горит. Чудовищное злодеяние происходит на наших глазах... Черный дым клубами валит, заволакивая колонны и фрески, подобных которым в мире нет. Глухие взрывы внутри дворца выбрасывают сквозь ...крышу, над которой колоннада уже сгорела, густые снопы зловещих искр. На это невозможно смотреть. Павловский дворец горит, подожженный немцами, отступившими из Павловска несколько часов назад. Нет бессмысленней и чудовищней этого преступления... Бой еще идет неподалеку от Павловска...»

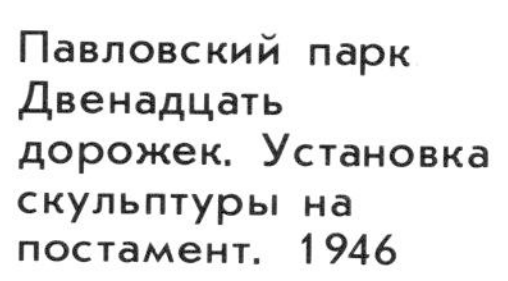

Павловский парк Двенадцать дорожек. Установка скульптуры на постамент. 1946

Большой дворец Египетский вестибюль. Раскопка завалов и извлечение скульптуры. 1944

Спустя неделю для обследования состояния дворцово-паркового ансамбля в Павловск выехала первая группа творческой интеллигенции и музейных работников. Страшная картина предстала перед ними: изуродованный дворец зиял черными глазницами выбитых окон, рухнул купол с колоннадой, сгорели Библиотека Росси и фрески Галереи Гонзага, пожар уничтожил междуэтажные перекрытия, обрушившиеся перекрытия увлекли за собой живописные плафоны; в большинстве залов погибли декоративная роспись стен и скульптурный декор.

Значительная часть территории ансамбля была заминирована. Более 800 дзотов и бункеров изуродовали парк, все павильоны оказались поврежденными или полностью разрушенными. В различных районах парка вырублено около 70 тысяч деревьев и 30 тысяч кустарников. Особенно пострадали районы Большой звезды, Белой Березы и Старой Сильвии.

Чрезвычайная государственная комиссия по установлению и расследованию злодеяний немецко-фашистских захватчиков определила сумму ущерба, нанесенного ансамблю в Павловске,— 1 миллиард 30 миллионов рублей, в том числе 625 миллионов приходилось на предметы художественного убранства и музейно-вспомогательный материал.

Опубликованное в марте 1944 года Постановление Совета Народных Комиссаров СССР, положившее начало возрождению дворцово-паркового ансамбля Павловска наряду с другими архитектурно-художественными комплексами, вселило уверенность в сердца музейных работников, всех жителей города — Павловск будет жить!

Прежде всего было проведено разминирование парка и дворца. Саперами извлечено и обезврежено 240 мин, неразорвавшихся снарядов и бомб. Население города вместе с приезжавшими на помощь ленинградцами приступило к восстановительным работам. Один из первых воскресников состоялся 16 июля 1944 года. В нем приняли

Обломки мраморных ваз работы Н.-Ф. Жилле, найденные на территории Павловского парка. 1944

Одна из четырех мраморных ваз Н.-Ф. Жилле, найденная на территории Павловского парка, в процессе реставрации

Ваза. 1774
Скульптор
Н.-Ф. Жилле
Мрамор
Реставрирована
в 1960-е
В. Солдатовой

участие 102 человека. Постепенно были разобраны древесные завалы, дзоты и блиндажи, зарыты траншеи и воронки, выкорчевано более 20 тысяч пней, восстановлена сеть мелиоративных каналов, возобновлены десятки километров аллей и дорог. Только за первые послевоенные годы высажено более 50 тысяч молодых деревьев, вылечены старые, пострадавшие от осколков мин и снарядов, в том числе липы главной аллеи парка. Извлечена из захоронений и установлена на прежних местах мраморная и бронзовая парковая скульптура, наведены временные мосты. В 1950 году Павловский парк открылся для посетителей.
Все эти годы продолжались консервационные работы во дворце, заложившие

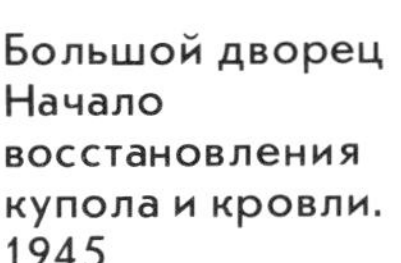

Большой дворец
Начало восстановления купола и кровли. 1945

Центральный корпус Большого дворца в процессе реставрации. 1947

фундамент для последующей его реставрации. Прежде всего возвели купол Центрального корпуса дворца, ликвидировали проломы в кирпичной кладке стен, восстановили кровлю и междуэтажные перекрытия. Консервационный период включал также закрепление на местах сохранившихся деталей отделки интерьеров и их фотофиксацию. Остававшиеся в залах элементы художественной отделки тщательно укрывались. С плохо сохранившихся фрагментов лепки после укрепления их специальным составом снимали форму для последующего воспроизведения. Найденные при раскопках завалов фрагменты декора переносились в хранилище. Всего было собрано около 40 тысяч уникальных деталей: обломки натурального и искусственного мрамора, фрагменты росписей и лепки, куски штукатурки, сохранившие подлинный колер окраски стен или следы позолоты. Они, а также обмеры и материалы фотофиксации, научные архивы и изобразительные материалы стали основой для составления реставрационной документации: на каждый памятник архитектуры, на каждый интерьер дворца были подготовлены исторические справки.
В послевоенные годы осуществлялись работы по сбору произведений искусства, похищенных фашистами. В землянках и бункерах, зданиях штабов, в домах, которые занимали оккупанты по всему пути отступления фашистской армии, были найдены тысячи произведений искусства, в том числе более 400 из коллекций Павловского дворца-музея: в селе Антропшино, недалеко от Павловска, обнаружен портрет Петра I из Малого кабинета, в Берлине — книжный фонд дворцовой библиотеки и воронихинское кресло из Греческого зала. Интересно, что резная спинка дивана из того же гарнитура вернулась из Берлина в одной упаковке с иконостасом новгородского Софийского собора. Найденная в Прибалтике бесценная фототека дворца, насчитывавшая более 2500 негативов, оказала впоследствии неоценимую помощь архитекторам-проектировщикам и мастерам-реставраторам. Участником многих экспедиций по розыску похищенных произведений искусства был А. Кучумов,

возглавивший в мае 1945 года только что организованное Центральное хранилище музейных фондов. Разместившееся в Александровском дворце в Пушкине, оно приняло на хранение художественные ценности всех дворцово-парковых ансамблей Ленинграда, пострадавших во время войны. Сюда поступали возвратившиеся из эвакуации и извлеченные из захоронений и укрытий музейные коллекции, а также все, найденное во время экспедиций.

Научные изыскания, проведенные сотрудниками Павловского дворца-музея, были использованы при составлении проекта реставрации, подготовленного архитекторами института «Ленпроект» Ф. Олейником (внешняя архитектура) и С. Поповой-Гунич

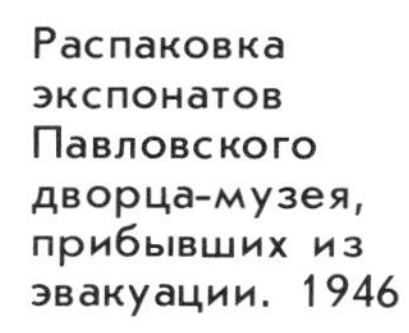

Распаковка экспонатов Павловского дворца-музея, прибывших из эвакуации. 1946

Большой дворец Лепщики за сборкой капители колонны Греческого зала. 1966

(художественная отделка интерьеров). Восстановительные работы осуществляли коллективы строителей и реставраторов ленинградского треста «Фасадремстрой» и Специальных научно-реставрационных производственных мастерских под контролем Государственной инспекции по охране памятников. В течение 1954—1955 годов завершились общестроительные и художественно-отделочные работы в помещениях южного полуциркульного флигеля. Здесь летом 1955 года в десяти комнатах открылась большая выставка — «Художественное убранство Павловского дворца», укрепившая надежду на возможность скорого возрождения Павловского дворца-музея. А через два года — летом 1957-го — открылись для обозрения первые дворцовые интерьеры. Это были помещения с наименее сложной отделкой: Кавалерский зал, Передняя, Кавалергардская, Оркестровая, Буфетная, дворцовая церковь. Их декор состоял в основном из лепных панно и орнаментов, а росписи стен и потолков были исполнены в технике «гризайль». Художник А. Трескин воссоздал плафон «Обращение Савла» Я. Меттенлейтера для дворцовой церкви, лепщики бригады И. Калугина — лепные барельефы и гирлянды Кавалерского зала. Осенью 1957 года к сороковой годовщине Великой Октябрьской социалистической революции распахнул свои двери самый большой зал дворца — Тронный. Отделанный по проекту В. Бренны в конце XVIII века Тронный зал дошел до нашего времени без какого-либо живописного оформления потолка. Его огромная белая плоскость как бы придавливала пространство зала, делала его ниже, приземистее и оставляла ощущение незавершенности. Однако ни один из известных источников не указывал на существование плафона в Тронном зале. Исследователи творчества Бренны утверждали, что зодчий, украшавший плафонами другие, менее парадные залы, не мог не включить живописный плафон в проект оформления самого большого и торжественного интерьера дворца. Многие признаки указывали на то, что хранившийся в фондах музея эскиз плафона, выполненный П. Гонзагой, предназначался именно для Тронного зала: прежде всего — абрис эскизной композиции, совпадающий с конфигурацией потолка Тронного зала, затем — орнаментика эскиза, тематически перекликающаяся с лепным декором Тронного зала в виде знамен, военных арматур, ваз с цветами, и, наконец, перспективное построение композиции плафона, изображающего уходящую ввысь колоннаду, явно рассчитанное на иллюзорное увеличение высоты помещения.

Задача реставраторов осложнялась тем, что эскиз П. Гонзаги представлял собой лишь четвертую часть композиции гигантского плафона площадью 400 квадратных метров. Основываясь на этом эскизе, художник А. Трескин разработал композицию всего плафона, а затем вместе с группой помощников выполнил по своим картонам роспись потолка темперными красками по сухой штукатурке.

Благодаря искусству советских реставраторов Тронный зал обрел художественную завершенность. А в 1984 году в Центральном государственном историческом архиве СССР был обнаружен документ, подтверждающий существование росписи плафона в Тронном зале на протяжении почти всего XIX века.

В основу реконструкции убранства дворца был положен принцип максимального приближения интерьера к первоначальному замыслу. Так, два камероновских интерьера — Танцевальный зал и Старая гостиная,— объединенные архитектором Росси при перестройке дворца в 1820-х годах в Большую столовую, при реставрации получили свой первоначальный вид и возрожденную отделку в виде изящной лепнины. Подлинный лепной фриз, выполненный Камероном для Танцевального зала, был обнаружен под полуобвалившейся штукатуркой.

Из года в год совершенствовалось мастерство реставраторов. Начав с наиболее простых по декору помещений, они закончили свой путь в сложнейших интерьерах Центрального корпуса, реставрация которых продолжалась в 60-е годы. Весной 1970 года к 100-летию со дня рождения В. И. Ленина полностью завершилось возрождение всех 45 музейных залов.

Заняли свои места предметы художественного дворцового убранства, коллекции живописи и скульптуры. Для восполнения утрат подыскивались аналоги: крупнейшие музеи страны — Государственный Эрмитаж и Государственный Русский музей оказали Павловску большую помощь в их подборе. Трудоемким было возрождение дворцовой мебели: по имевшимся образцам выполнена мебель для Библиотеки Павла I и кабинета «Фонарик», по авторским чертежам — для Спальни Марии Федоровны. Высококвалифицированные столяры-краснодеревщики А. Хохлов, Б. Янковский, Н. Зверев при участии опытного резчика А. Виноградова достигли виртуозного мастерства: изготовленная ими мебель по тонкости и изяществу отделки не уступает подлинникам. В самые последние годы закончено воссоздание мебельных гарнитуров для Итальянского зала, залов Войны и Мира, Библиотеки Росси и Розового павильона.

В огромном Павловском парке восстановительные работы продолжаются и по сей день. Парк — это живой организм, и его реставрация не может быть ограничена временны́ми рамками. Но если в первые послевоенные годы перед реставраторами ставились задачи лишь залечить раны военного времени и привести в порядок парковые павильоны, мосты, беседки и ворота, то задачей следующего периода, начиная с 1960-х годов, стало использование парковых павильонов для устройства сменяющихся тематических выставок и превращение огромных пространств пейзажного парка в ландшафтные картины в соответствии с авторскими замыслами строивших его выдающихся зодчих прошлого.

Планомерно, в течение вот уже двух десятилетий, ведутся восстановительные работы в Белой Березе — самом большом районе парка, но не меньше труда потребовала и реставрация Собственного садика. Она выполнена на основе исторических чертежей и планов, разработанных первым его создателем, помощником Ч. Камерона, художником-декоратором Ф.-Г. Виолье. Восстановлена планировка садика, восполнены редкие растения — кустарники и цветы, составляющие его дендрофлору. Сейчас находятся в производстве украшавшие некогда Собственный садик вазоны для цветов, чугунные скамейки, трельяжи.

В центре парка полным ходом ведутся работы по воссозданию Розового павильона — памятника Отечественной войны 1812 года. Завершен общестроительный цикл, разработаны эскизы художественной росписи фасадов и интерьеров павильона. Восстанавливается его внутреннее убранство: реставрируется мебель, подбираются по аналогии фарфоровые декоративные блюда и вазы с изображением роз. Разрабатывается проект планировки территории вокруг павильона.

Павловский дворец — первый из дворцово-парковых ансамблей пригородов Ленинграда, восстановленный полностью. Для многих реставраторов — лепщиков, мраморщиков, резчиков, скульпторов, живописцев, позолотчиков — Павловск стал школой совершенствования мастерства, лабораторией, в которой оттачивалась и опробовалась новая, разработанная в ходе работ, методика реставрации. Здесь, в Павловске, они прошли испытание на зрелость и с успехом продолжают начатое дело во дворцах Пушкина, Петродворца, Гатчины. У них учатся реставраторы из других городов и республик: приезжают специалисты из Риги, занимающиеся восстановлением Рундальского дворца; консультировались польские и немецкие реставраторы, поставившие целью возрождение национальных памятников своих стран, хранители Версальского дворца и Лувра используют опыт наших мастеров при воссоздании тканей и музейной мебели по образцам XVIII века.

Возрожденный Павловск — яркий пример глубокого уважения советского народа к своему прошлому, свидетельство неисчерпаемого творческого таланта его сынов и дочерей, наперекор суровой реальности совершивших чудо возрождения уникального памятника русской культуры и искусства.

Мост кентавров
Архитекторы
В. Бренна, 1799
(мост);
А. Воронихин, 1805
(кентавры)
Реставрирован
в 1967—1969

Большой дворец
Вид на Северный
квадратный корпус
и Библиотеку Росси
с крыши
Центрального
корпуса. 1944

Большой дворец
Архитекторы
Ч. Камерон,
1782—1786;
В. Бренна,
1796—1799
Восстановлен
в 1954—1957
(фасады),
1970 (интерьеры)
Авторы проекта
реставрации
Ф. Олейник
(фасады),
С. Попова-Гунич,
В. Можанская,
Ю. Синица, В. Якоби,
Г. Соколовский,
Н. Устволъская
и другие
(интерьеры)

Северный квадратный корпус

Южная колоннада

Южный полуциркульный флигель

Центральный
корпус

Египетский вестибюль
Архитекторы
Ч. Камерон, 1780-е;
А. Воронихин, 1803;
скульптор
И. Прокофьев,
художник
Дж.-Б. Скотти
Восстановлен в 1963

Парадный вестибюль
Архитектор
В. Бренна. 1789
Восстановлен в 1963

Итальянский зал
Люстра. 1797
Россия, Петербург,
мастерская И. Цеха
Золоченая бронза,
рубиновое стекло,
хрусталь

Итальянский зал
Архитекторы
Ч. Камерон, 1786;
В. Бренна, 1789;
А. Воронихин,
1803—1804
Восстановлен в 1965

Библиотека Павла I
Архитекторы
В. Бренна, 1793;
А. Воронихин,
1803—1804
Восстановлена в 1965

Библиотека Павла I
Ковровое панно
«Лиса и виноград»,
1782
Франция, Париж,
мануфактура
Савоннери

Библиотека Павла I
Настольное
украшение
«Храм Весты»
и письменный
прибор. 1794
По рисунку
В. Бренны
Россия, Петербург,
мастерская И. Фая
Слоновая кость,
янтарь, золоченая
бронза

Библиотека Павла I
Настольная лампа.
1794
По рисунку
В. Бренны
Россия, Петербург,
мастерская И. Фая
Слоновая кость,
янтарь, металл

Зал Войны
Торшер
Резное дерево,
золочение
Воссоздан в 1970
резчиком
В. Полякиным

Зал Войны
Архитекторы
В. Бренна, 1789;
А. Воронихин,
1803—1804
Восстановлен в 1965

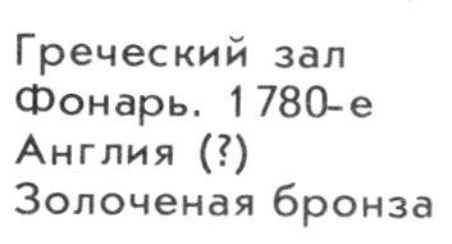

Греческий зал
Фонарь. 1780-е
Англия (?)
Золоченая бронза

Греческий зал
Часы
«Парис и Елена».
1780-е
Франция, Льеж,
мастерская
Л.-Ж. Лагесса
Золоченая бронза

Греческий зал
Диван. 1804
Из гарнитура
по рисунку
А. Воронихина
Россия, Петербург,
мастерская К. Шейбе

Большой дворец
Рухнувшее
перекрытие между
Греческим залом
(вверху) и Столовой.
1944

Большой дворец
Греческий зал
Архитекторы
В. Бренна, 1789;
А. Воронихин,
1803—1804
Восстановлен в 1967

Зал Мира
Вид из Греческого зала
Архитекторы
В. Бренна, 1789;
А. Воронихин, 1803—1804
Восстановлен в 1967

Южная парадная анфилада
Восстановлена в 1967

Библиотека
Марии Федоровны
Муза у скалы
(Полигимния)
Римская копия II в.
с греческого
оригинала II в.
до н. э.

Библиотека
Марии Федоровны
Плутон и
Прозерпина. 1782
Скульпторы братья
Коллини
Италия

Библиотека
Павла I
Спящий Амур
с палицей Геркулеса.
1792
Скульптор
М. Козловский

Ковровый кабинет
Архитектор
А. Воронихин.
1803—1804
Восстановлен в 1965

Ковровый кабинет
Диван. 1782
Франция,
мастерская
А. Жакоба
Резное дерево,
позолота

Будуар
Архитекторы
В. Бренна, 1792;
А. Воронихин,
1803—1804
Восстановлен в 1967

Будуар
Ваза. 1789
Россия,
Колыванская
гранильная фабрика
Коргонский порфир,
золоченая бронза

Пилястровый кабинет
Ваза. 1802
По рисунку А. Воронихина
Россия, Екатеринбургская гранильная фабрика
Уральская (ямская) яшма, золоченая бронза

Греческий зал
Ваза. Конец XVIII в.
Франция, мастерская П.-Ф. Томира (?)
Темная и золоченая бронза

Картинная галерея
Ваза. Конец XVIII в.
Россия, Колыванская гранильная фабрика
Коргонский порфир, золоченая бронза

Пилястровый кабинет
Ваза. 1807
По рисунку А. Воронихина
Россия, Екатеринбургская гранильная фабрика
Калканская яшма, золоченая бронза

Парадная
опочивальня
Стенное панно. 1792
По эскизу
В. ван Леена роспись
Я. Меттенлейтера
Россия, Петербург
Шелк, темпера
Шелк воссоздан в
экспериментальных
мастерских
комбината
«Красная Роза»,
Москва
Роспись воссоздана
в 1966 группой
художников под
руководством
А. Трескина

Парадная
опочивальня
Парадная кровать.
1784. Деталь
Франция,
мастерская
А. Жакоба
Дерево, резьба,
позолота

Парадная
опочивальня
Архитекторы
В. Бренна, 1792;
А. Воронихин, 1804
Восстановлена в 1967

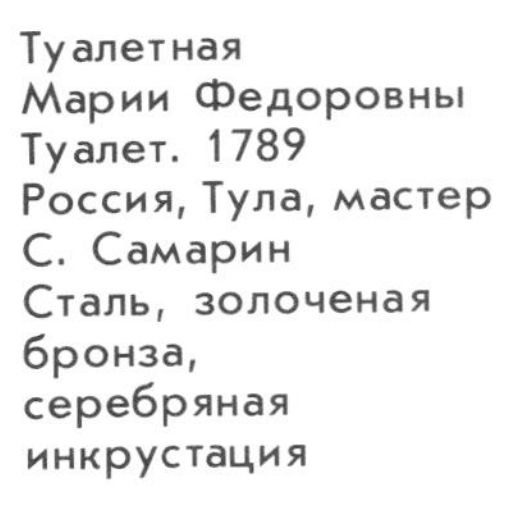

Туалетная
Марии Федоровны
Туалет. 1789
Россия, Тула, мастер
С. Самарин
Сталь, золоченая
бронза,
серебряная
инкрустация

Парадная
опочивальня
Туалетный прибор.
1782
Л.-С. Буазо,
Ж.-К. Дюплесси,
Ж. Котто
Франция, Севрская
мануфактура
Фарфор, эмали,
золоченая бронза,
бисквит

Фрейлинская
Архитекторы
В. Бренна, 1797;
А. Воронихин,
1803—1804
Восстановлена в 1962

Картинная галерея
П.-Д. Батони.
1708—1787
Возвращение
блудного сына

Фрейлинская
К. ван Лоо.
1705—1765
Амур, стреляющий
из лука. 1761

Картинная галерея
Б. Флемаль.
1614—1675
Изгнание Илиодора
из храма

С. Щедрин.
1745—1804
Пиль-башня. 1796

Кабинет «Фонарик»
Х. Рибера.
1591—1652
Св. Варфоломей

Картинная галерея
Архитектор
В. Бренна. 1798
Восстановлена в 1958

Картинная галерея
Люстра. 1797
Россия, Петербург,
мастерская И. Цеха
Золоченая бронза,
хрусталь, цветное
стекло

Тронный зал
(Парадная столовая)
Архитектор
В. Бренна.
1797—1798
Восстановлен в 1957

Большой дворец
Тронный зал. 1944

Большой дворец
Кавалерский зал
Архитектор
В. Бренна.
1797—1798
Восстановлен в 1957

Кавалерский зал
Нимфа с раковиной
Римская
переработка
эллинистического
образца III в. до н. э.
Реставрирована
в 1957 Л. Барбашем

Общий кабинет
Архитектор
В. Бренна.
1797—1799
Восстановлен в 1970

Пилястровый
кабинет
Обивка мебельного
гарнитура. Деталь

Пилястровый
кабинет
Архитектор
Дж. Кваренги. 1800
Восстановлен в 1960

Новый кабинет
Д. Вольпато.
1733—1802
Афинская школа.
Из серии «Фрески
в Станцах Рафаэля
в Ватикане». Вторая
половина XVIII в.
Раскрашенная
гравюра на меди

Новый кабинет
Архитектор
Дж. Кваренги. 1800
Восстановлен в 1970

Угловая гостиная
Архитектор
К. Росси. 1816
Восстановлена в 1970

Бильярдная
Архитектор
Ч. Камерон.
1786—1787
Восстановлена в 1970

Старая гостиная
Архитектор
Ч. Камерон.
1786—1787
Восстановлена в 1970

Столовая
Архитектор
Ч. Камерон.
1786—1787
Восстановлена в 1970

Туалетная
Умывальный прибор.
1804—1806
По рисункам
А. Воронихина
и Ж. Тома де Томона
Россия, Петербург,
Императорский
стеклянный завод
Хрусталь, цветное
стекло, золоченая
бронза

Туалетная
Туалетный прибор.
1800—1801
По рисунку
А. Воронихина (?)
Россия, Петербург,
Императорский
фарфоровый завод
Скульптура
по модели
Ж.-Д. Рашетта
Фарфор, бисквит,
золоченая бронза

Предметы сервиза
для Розового
павильона: тарелки,
масленка,
компотьеры. 1820-е
Россия, Петербург,
Императорский
фарфоровый завод
Фарфор

Ковровый кабинет
Часы «Лира». 1780-е
Франция, Париж
Золоченая бронза,
мрамор

Настольное
украшение из серии
«Испанский
концерт». 1780
Скульптор
Ж.-Ф. Ле Риш
Франция, Севрская
мануфактура
Бисквит

Фрейлинская
Часы
с изображением
сцены из оперы
«Дезертир»
П.-А. Монсиньи
Вторая половина
XVIII в.
Франция
Золоченая бронза,
карельская береза

Туалетная
Марии Федоровны
Шандал. Около 1801
Россия, Тула
Сталь

Спальня
Кресло и банкетка из мебельного гарнитура по рисунку А. Воронихина
Воссозданы в 1959 А. Хохловым и А. Виноградовым

Спальня
Архитектор
А. Воронихин. 1805
Восстановлена
в 1960

Кабинет «Фонарик»
Архитектор
А. Воронихин. 1807
Восстановлен в 1960

Кабинет «Фонарик»
Эркер

Большой дворец
Кабинет «Фонарик».
1944

Южные корпуса Большого дворца и Собственный садик
Архитекторы В. Бренна, 1796—1799; А. Воронихин, 1807; художник-декоратор Ф.-Г. Виолье, 1780-е
Зеленое оформление Собственного садика восстановлено в 1980-х по проекту Е. Комаровой

Большие круги
Архитектор
В. Бренна.
1798—1799
Реставрированы
в 1976

Павильон
Трех граций
Архитектор
Ч. Камерон,
1800—1801;
скульптор
П. Трискорни, 1803
Восстановлен в 1957
по проекту
С. Поповой-Гунич

Большая каменная (Итальянская) лестница
Архитектор В. Бренна. 1798—1799
Реставрирована в 1976

Молочня
Архитектор Ч. Камерон. 1782
Реставрирована в 1947, 1980

Двенадцать дорожек
Центральная площадка
Архитектор В. Бренна. 1789—1793
Бронзовая скульптура установлена в 1798

Вольер
Архитектор
Ч. Камерон. 1782
Реставрирован
в 1968, 1989
Автор проекта
реставрации
С. Попова-Гунич

Двенадцать дорожек
Мельпомена. 1795
Скульптор Ф. Гордеев, отливка Э. Гастклу

Двенадцать дорожек
Талия. 1792
Скульптор Ф. Гордеев, отливка Э. Гастклу

Колоннада
Аполлона
Архитектор
Ч. Камерон.
1782—1783
Восстановлена в 1968
по проекту
А. Кедринского

Памятник
родителям
Архитектор
Ч. Камерон (?). 1786
Мраморная
скульптура внутри
павильона работы
И. Мартоса
Реставрирован
в 1976
Автор проекта
реставрации
С. Попова-Гунич

Обелиск в память основания Павловска
Архитектор Ч. Камерон. 1782

Новосильвийский мост
Архитектор
И. Потолов.
1873—1875

Березовый мостик
и Руинный каскад
Архитектор
В. Бренна.
1793—1794

Пристань на Мариентальском пруду
Архитектор В. Бренна. 1790-е

Пейзаж в районе Белой Березы
«Самое красивое место»
Архитектор Ч. Камерон, художник П. Гонзага.
1784—1828

Круглый зал
Архитекторы
Ч. Камерон,
В. Бренна,
1799—1800
Восстановлен в 1976
по проекту
С. Поповой-Гунич

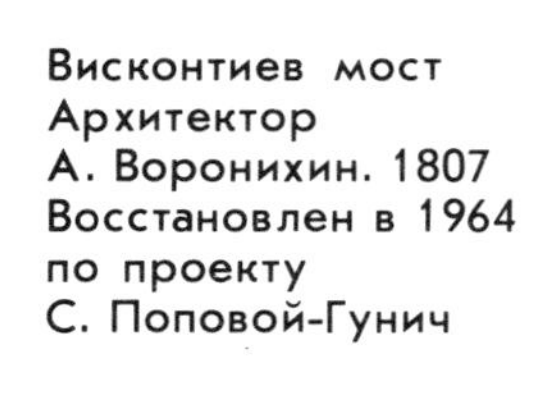

Висконтиев мост
Архитектор
А. Воронихин. 1807
Восстановлен в 1964
по проекту
С. Поповой-Гунич

Павловский парк
Висконтиев мост.
1944

Павловский парк
Участок в районе
Большой звезды,
вырубленный
фашистами. 1944

Пиль-башня
Архитектор
В. Бренна. 1795
Пиль-башенный мост
Архитектор
А. Воронихин. 1807
Восстановлен
в 1970-х

В альбоме использованы фотокомпозиции В. П. Самойлова и Е. Ю. Раскопова, фотографии из фондов дворцов-музеев Петродворца, Пушкина и Павловска, а также цветная съемка фотографов Л. Б. Богданова: с. 158, 159, 182, 186, 187, 260 (внизу); Н. А. и К. А. Дока: с. 34, 35, 50, 51, 56—63, 66—85, 88—95, 98—107, 110—119, 122—137, 140—143, 146—156, 175, 188—195, 200—209, 212—231, 236—237, 241, 243, 245, 249, 251, 261, 293, 306—315, 318—337, 340—356; В. Ф. Дорохова: с. 276, 277, 363; К. И. Жариновой: с. 16, 262 (вверху и внизу), 265; В. П. Мельникова: с. 180, 181, 242 (внизу), 246, 260 (вверху), 273, 357; В. И. Савика: с. 183, 238—240, 242 (вверху), 244, 247, 248, 250, 251, 254—259, 262 (в центре), 263, 265—267, 270—272, 274, 298, 299, 302—305, 360—362, 364—370, 372—375, 380—383; Л. Г. Хейфеца: с. 264; Г. С. Шабловского: с. 264, 364 (вверху), 371.

Возрожденные из пепла

ПЕТРОДВОРЕЦ. ПУШКИН. ПАВЛОВСК

Альбом

Вступительное слово
Даниила Александровича Гранина

Авторы-составители
Илья Михайлович Гуревич
Галина Дмитриевна Ходасевич
Валерия Афанасьевна Беланина

Художник Д. А. Бюргановский
Редактор Е. Н. Кулагина
Художественные редакторы В. Д. Бертельс, В. И. Токарев
Технический редактор В. Л. Иванова
Корректоры Т. В. Новик, Л. В. Денисова

ИБ № 2949. Сдано в набор 29.05.89. Подписано в печать 22.02.90
Формат $70 \times 100^1/_8$. Бумага офсетная мелованная. Гарнитура журнальная рубленая. Печать офсетная. Усл. печ. л. 62,40. Усл. кр.-отт. 343,53. Уч.-изд. л. 58,19
Тираж 25 000. Заказ 2520. Изд. № 2088. Цена 23 р. 90 к.
Издательство «Аврора». 191065, Ленинград, Невский пр., 7/9
Ленинградская фабрика офсетной печати № 1 дважды ордена Трудового Красного Знамени Ленинградского производственного объединения «Типография имени Ивана Федорова» Государственного комитета СССР по печати.
197101, Ленинград, ул. Мира, 3